Exercises

3.24

SM 04/08

Ymarferion
Cymraeg
Exercises
Da

HEINI GRUFFUDD

Argraffiad cyntaf: 2000
Ail argraffiad: 2002
© Awdurdod Cymwysterau, Cwricwlwm ac Asesu Cymru

Comisiynwyd gyda chymorth ariannol Awdurdod Cymwysterau, Cwricwlwm ac
Asesu Cymru.

Llun y clawr: Keith Morris
Golygu: Eiry Jones

Rhif Llyfr Rhyngwladol: 0 86243 533 1

Argraffwyd a chyhoeddwyd yng Nghymru
gan Y Lolfa Cyf., Talybont, Ceredigion SY24 5AP;
e-bost ylolfa@ylolfa.com
y we www.ylolfa.com
ffôn (01970) 832 304
ffacs 832 782
isdn 832 813

RHAGAIR

Mae tua 2,000 o ymarferion yn y llyfryn hwn. Mae nifer ohonyn nhw yn y llyfr *Cymraeg Da*, ond mae llawer ohonyn nhw'n arbennig i'r llyfryn ymarferion hwn.

Mae'r ymarferion i gyd yn rhai caeth, h.y. un ateb sy'n bosibl. Wedi dweud hynny, mae amrywiadau'n bosibl, e.e. defnyddio 'fe' i gyflwyno berf. Mae llawer o ymarferion rhydd yn y llyfr *Cymraeg Da*.

Mae'r ymarferion yn y llyfryn hwn yn cynnwys:

> **cyfieithu i'r Gymraeg**
> **llenwi bylchau**
> **uno cymalau**
> **treiglo**
> **newid i'r negyddol a'r lluosog**
> **newid pwyslais brawddegau**
> **cywiro gwallau**
> **dewis geiriau**

Mae'r ymarferion yn dilyn trefn *Cymraeg Da*, ac maen nhw wedi eu rhannu yn ôl adrannau gramadegol:
berfau; arddodiaid; y fannod; ansoddeiriau; enwau; rhagenwau; adferfau; rhifau; cymalau.

Mae pob adran wedi ei rhannu'n gamau sydd ar y cyfan yn cynyddu o ran lefelau gwybodaeth. Wrth weithio trwy'r llyfr, dewiswch gamau 1 pob adran i ddechrau, yna gamau 2 ac ati.

Mae atebion yng nghefn y llyfr, a hefyd nodyn ar yr amrywiadau posibl.

Dylai'r llyfr fod o gymorth i bawb sy'n defnyddio *Cymraeg Da*, neu yn wir i unrhyw un sy'n dysgu Cymraeg.

Pob hwyl gyda'r dysgu!

Heini Gruffudd
Abertawe, Gwanwyn 2000

Berfau

Berfau Cam 1

Llanwch y bylchau, ac atebwch y cwestiynau:

e.e. Ydy Charlie Chaplin yn actio yn y ffilm?

Ydy, mae e'n actio yn y ffilm./Na, dydy e ddim yn actio yn y ffilm.

1. _____ ffilm yn y sinema heno?
2. _____ hi'n hoffi ffilmiau antur?
3. _____ llawer o bobl yn y sinema heno?
4. _____ 'r newyddion ar y teledu heno?
5. _____ 'r actores yn hoffi dillad?
6. _____ digon o bopcorn yn y bag?
7. _____ rhaid i ni fynd i'r sinema?
8. _____ dy chwaer yn mwynhau ffilmiau?

Cywirwch y brawddegau hyn:

1. Mae'n nhw'n dangos dwy ffilm heno.
2. Ydy ni'n mynd i'r sinema yfory?
3. Mae e ddim yn actio yn y ffilm.
4. Ydy llawer o bobl yn y theatr?
5. Dydyn nhw'n ddim yn actio'n dda.
6. Dydy nhw ddim ar y teledu.
7. Rydyn nhw'n aros gartre.
8. Rydyn ni ddim yn hoffi opera.

Berfau Cam 2

Trowch y brawddegau hyn yn negyddol:

1. Mae'r dillad ar y llawr.
2. Mae sebon yn y sinc.
3. Rydyn ni'n ymweld â nhw yfory.
4. Maen nhw'n ymadael â'r wlad.
5. Rydych chi o dan ei ddylanwad e.
6. Mae Fred Louis yn ymladd ag Ali Lennox heno.
7. Mae e'n gweithio yn y tŷ trwy'r bore.
8. Mae hi'n gofalu am y plant.

Cywirwch y brawddegau hyn:

1. Mae'r tywelion yn wrth y bath.
2. Ydych chi'n siarad i'r plant?
3. Rydyn ni'n aros am chi.
4. Mae e wedi dysgu fi Cymraeg.
5. Maen nhw'n helpu ni chwilio.
6. Dydy e ddim wedi ymweld gyda ni.
7. Rydych chi'n ar y teledu!
8. Dydyn nhw'n ddim gwylio'r teledu.

Berfau Cam 3

Treiglwch y geiriau rhwng [ ], os oes angen:

1. Mae'r teipydd yn [cyflym].
2. Mae'r fenyw yn [darlithydd].
3. Mae'r botel yn [llawn].
4. Dydy hi ddim yn [rhad].
5. Dydy'r llyfr ddim yn [mawr iawn].
6. Mae e'n [garddwr].
7. Rydych chi'n [cynnar].
8. Ydw i'n [gyrru]?

Cywirwch y brawddegau hyn:

1. Athrawes ydy'r dyn.
2. Cogydd mae Siân.
3. Merched ydy nhw.
4. Ydy e coch?
5. Mae e llawn.
6. Peilot ydy chi?
7. Coleg da mae coleg Abertridwr.
8. 'Pont' mae 'pont' yn Ffrangeg.

Berfau Cam 4

Rhowch un o'r geiriau hyn yn y bylchau:
mae, sy, ydy, fydd, oedd

1. Faint _____ cost y bwyd?
2. Pwy _____ hi'n ei weld heno?

3. Beth _____ ar y teledu heno?
4. Pwy _____ yn chwarae i Gymru'r wythnos nesa?
5. Faint _____ yn edrych ar y gêm ddoe?
6. Beth _____ y sgôr ar ddiwedd y gêm?
7. Faint _____ 'r bwyd yn ei gostio?
8. Beth _____ hi'n ei wylio heno?

Cywirwch y ferf yn y brawddegau hyn:
1. Beth ydy e'n ei wneud heno?
2. Faint ydy'r bwyd yn ei gostio?
3. Pwy ydy'n chwarae i Gymru?
4. Faint sy'n cost y bwyd?
5. Pwy ydy hi'n ei weld yfory?
6. Beth mae e?
7. Beth ydy hi'n ei lanhau?
8. Faint mae e?

Berfau Cam 5
Rhowch ffurfiau Gorffennol y berfau yn y brawddegau hyn:
1. Ble [cael] chi ginio heddiw?
2. [mynd] ni i weld y gêm yng Nghaerdydd.
3. [dod] nhw adre'n gynnar.
4. Pryd [dod] chi adre neithiwr?
5. [cael] nhw'r wobr gyntaf yn yr eisteddfod?
6. [gwneud] chi rywbeth yn y dre?
7. Pryd [mynd] chi ar eich gwyliau y llynedd?
8. [dod] i yma ddoe.

Trowch y brawddegau hyn yn negyddol:
1. Ces i wobr am ganu.
2. Cafodd hi'r wobr gyntaf.
3. Daethon ni adre'n gynnar.
4. Aethoch chi i weld y gêm.
5. Wnaethon nhw fe yn y bore.
6. Des i i'r coleg ddoe.
7. Aeth hi i'r ysbyty.
8. Cafodd e hi am ganu yn yr eisteddfod.

Trowch y brawddegau hyn yn negyddol:
1. Rwy'n gweld ffilm ar y teledu bob nos.
2. Rydych chi'n hoffi ffilmiau antur.
3. Mae Siân, fy chwaer, yn hoffi ffilmiau serch.
4. Rydyn ni'n mynd i'r sinema bob wythnos i weld ffilm.
5. Mae drama yn y theatr yr wythnos nesa.
6. Huw sy'n gyrru heno.
7. Rwy'n nabod y ferch oedd yn y tîm.
8. Cafodd e wobr yn yr eisteddfod.
9. Gwnes i fe'n iawn.
10. Ydych chi nabod y merched sy'n dysgu nofio?

Llanwch y bylchau yn y brawddegau hyn:
1. _____ i mo'r wobr gyntaf ddoe. [cael]
2. _____ nhw mo'r llyfr yn y dre. [cael]
3. _____ chi'r mo'r llestri trwy'r gwyliau. [gwneud]
4. _____ e mohonyn nhw. [gwneud]
5. Ches i _____ 'r wobr, gwaetha'r modd.
6. Wnaethon nhw _____ fe'n dda iawn.
7. Chawson ni _____ nhw gyda'r post.
8. Chawsoch chi _____ hi yn y siop.

Berfau Cam 6
Rhowch ffurfiau Gorchmynnol y berfau yn y brawddegau hyn:
1. [dysgu] eich gwaith yn dda!
2. [brwsio] eich dannedd ar ôl brecwast!
3. [glanhau] eich esgidiau cyn mynd allan!
4. [gwneud] dy waith yn y bore!
5. [aros] i fi, wnei di!
6. [cymryd] dy fwyd gyda thi!
7. [peidio] â mynd heb dy frawd!
8. [peidio] ag aros am eich ffrindiau!

Cywirwch y brawddegau hyn:
1. Peidiwch â mynd heb dy fag!
2. Cymrydwch eich cot!

3. Glanhauwch y llawr!
4. Mwynhauwch y gwyliau!
5. Dysga eich gwaith!
6. Prynnwch y llyfrau!
7. Darllennwch y papur!
8. Gwylwch y teledu heno!

Berfau Cam 7

Newidiwch i'r negyddol:
1. Mi fues i'n nofio yn y môr.
2. Fe fuon nhw'n dringo Tryfan yn y bore.
3. Buodd e'n gyrru car o gwmpas y wlad.
4. Fe fuodd hi'n gwersylla yn ne Ffrainc.
5. Buon ni'n hwylio ar y llyn.
6. Fe fuon ni'n ymweld ag amgueddfa Coca Cola yn Fflorida.
7. Buon nhw gyda'u mam trwy'r gwyliau.
8. Buon ni'n darllen yn y llyfrgell yn ystod y gwyliau.

Cyfieithwch:
1. I went to Italy last year.
2. We went shopping in Swansea yesterday.
3. There was a nasty accident on the road.
4. They went camping in the summer.
5. Have you ever been sailing?
6. No, but I've been climbing in Snowdonia.
7. Did they go abroad in the holidays?
8. No, they didn't go out of the house.

Berfau Cam 8

Rhowch derfyniad cywir y berfau yn y brawddegau hyn:
1. Cod_____ i'n gynnar bore ma.
2. Gweith_____ nhw'n galed trwy'r dydd.
3. Wel_____ chi'r gêm ar y teledu neithiwr?
4. Chwarae_____ Cymru'n wael iawn, gwaetha'r modd.
5. Phryn_____ i ddim byd yn y dre.
6. Yf_____ ni mo'r llaeth – roedd e'n sur.

7. Gof_____ ti anfon llythyr at y plant?
8. Dal_____ hi i ganu trwy'r nos.

Newidiwch y brawddegau hyn i'r Gorffennol:
1. Rwy'n ysgrifennu llythyr ati hi.
2. Dydy hi ddim yn darllen y llyfr.
3. Maen nhw'n dal i boeni amdana i.
4. Ydych chi'n chwarae i'r tîm cyntaf?
5. Dydy hi ddim yn dysgu'r gwaith.
6. Dydy e ddim yn prynu llyfr.
7. Ydyn nhw'n cyrraedd yn gynnar?
8. Rydyn ni'n yfed popeth.

Berfau Cam 9
Defnyddiwch ffurfiau Gorffennol 'gwneud' yn y brawddegau hyn:
1. [gwneud] i + codi'n gynnar.
2. [gwneud] nhw + ddim + mynd i'r ddarlith.
3. [gwneud] chi + mo + y traethawd.
4. [gwneud] hi + ddim + sefyll yr arholiad.
5. [gwneud] ti + mo + yr arholiad yn dda iawn.
6. [gwneud] chi + gwaith i gyd?
7. [gwneud] e + ddim + adolygu o gwbl.
8. [gwneud] i + cerdded i ffwrdd.

Rhowch ragenwau yn lle'r enwau pendant:
1. Fe wnes i ddarllen y nofel.
2. Fe wnaeth e basio'r arholiad.
3. Wnaethon ni ddim dysgu'r gwaith.
4. Wnaeth hi ddim dal y bws.
5. Wnaethoch chi hoffi'r ysgol?
6. Wnaethoch chi adolygu'r berfau?
7. Wnest ti mo'r gwaith.
8. Fe wnaethon nhw fynychu'r gwersi.

Cyfieithwch y brawddegau hyn:
1. I didn't do it.
2. We didn't work hard last year.
3. He didn't go to the lecture.
4. They stayed until the end.
5. Did they leave after an hour?
6. She didn't like the lecture.
7. He didn't eat it.
8. Did you walk home?

Berfau Cam 10

Cywirwch y brawddegau hyn:
1. Maen nhw newydd wedi cyrraedd.
2. Rydyn ni ddim heb orffen y gwaith.
3. Mae e'n ar fin ennill.
4. Mae hi ddim wedi galw heddiw.
5. Ydych chi wedi darllen e?
6. Gwnes i pasio hi.
7. Cerddon ni ddim adre.
8. Beth ydy e'n ei wneud yn y siop?

Newidiwch y brawddegau hyn yn negyddol:
1. Maen nhw newydd fynd.
2. Mae hi ar fin cyrraedd.
3. Rydw i wedi clywed y stori.
4. Mae'r ferch wedi ennill.
5. Mae'r dyn wedi colli.
6. Mae rhywun wedi yfed y llaeth.
7. Rydyn ni wedi chwarae'n dda.
8. Rydych chi wedi ennill yn hawdd.

Berfau Cam 11

Lluniwch frawddegau, gan ddefnyddio un o'r canlynol: gyda, gan, cael
1. [ni] parti heno.
2. [ni] mynyddoedd yng Nghymru.

3. [i] esgidiau da i gerdded.
4. [nhw] llawer o hwyl yn y wlad.
5. [Cymru] gormod o law yn yr haf.
6. [Cymru] gormod o goed coniffer.
7. [y byd] gormod o orsafoedd niwclear.
8. [problemau'r byd] sylw o'r diwedd.

Cywirwch y brawddegau hyn:
1. Cafodd y môr ei llygru gan olew.
2. Mae'r coed wedi cael ei ddifetha gan y gwynt.
3. Mae Cymru'n cael mynyddoedd uchel yn y gogledd.
4. Cafodd y wlad ei ddistrywio gan y traffig.
5. Mae'r afonydd wedi cael ei wenwyno gan y cemegau.
6. Rydw i gan ddau frawd a dwy chwaer.
7. Cafodd y merched eu ddal yn smygu.
8. Maen nhw gyda amser da yn y parti.

Cyfieithwch y brawddegau hyn:
1. Wales has too much rain in summer.
2. I'm having a great time.
3. The work has been done.
4. May I have more milk, please.
5. Are we allowed to see the film?
6. The world has a lot of environmental problems.
7. How many rivers were polluted?
8. They were born in the Rhondda.

Berfau Cam 12
Trowch y brawddegau hyn i Gymraeg ffurfiol:
1. Wi'n mynd i'r ddawns heno.
2. 'Yn ni'n hoffi mynd i'r dre.
3. 'Ych chi 'di gweld y gêm?
4. O'ch chi'n ofon y traffig?
5. Ddaru chi weld y castell?
6. Tydw i ddim yn 'i gredu o.
7. Tewch â d'eud!
8. O'n nhw ddim yno.

Rhowch ffurf y de/gogledd am y geiriau hyn:

1. llefrith
2. taid
3. hala
4. rŵan
5. hogyn
6. mas
7. lan
8. pres
9. eisiau
10. becso

Berfau Cam 13

Newidiwch y brawddegau hyn yn negyddol:

1. Mae e'n hoffi darllen llyfrau antur.
2. Mae hi'n casáu barddoniaeth.
3. Rydym yn darllen gwaith Dafydd ap Gwilym yn y gwely bob nos.
4. Maent yn adolygu nofelau Cymraeg ar y teledu.
5. Rwyf yn hoffi ysgrifennu storïau byrion.
6. Maent yn gwerthu cylchgronau Cymraeg yn y siop bapurau.
7. Yr wyt yn darllen gormod o lyfrau ditectif.
8. Yr ydych yn casáu ysgrifennu Cymraeg ffurfiol iawn.

Trowch i Gymraeg ffurfiol:

1. Yr ydym yn hoffi darllen.
2. Nid oeddynt yn cysgu'n drwm.
3. A ydych yn hoff o'r llyfr?
4. A ydynt wedi gorffen?
5. Nid ydych yn gwerthfawrogi'r stori.
6. Yr wyf ar fin mynd allan.
7. Nid oedd hi wedi darllen y llyfr.
8. Nid wyf wedi clywed amdanynt.

Berfau Cam 14

Cyfieithwch:

1. I had arrived before they went.
2. We had not thought about that before.
3. They had just passed the test.
4. When he came in, his friends had already gone.
5. She had forgotten the milk, but she had not tried the corner shop.
6. I passed French this year, but I had already passed Welsh.
7. She had been a conscientious student.
8. There weren't any students there today.
9. We had been waiting for an hour, but they didn't arrive.
10. They had a good meal, and then went to the cinema.

Cywirwch y brawddegau hyn:

1. Roeddwn i'n wrth y drws.
2. Roedd e wedi bod chwarae rygbi.
3. Roeddwn ni newydd ddarllen y papur.
4. Roedd hi newydd wedi gorffen bwyta.
5. Roedden nhw'n wedi dechrau yn y coleg.
6. Oeddech chi'n gartre trwy'r bore?
7. Doedd ddim gwersi yn y coleg yn y gwyliau.
8. Roedd y myfyrwyr ddim wedi gweithio'n galed.

Berfau Cam 15

Cyfieithwch y brawddegau hyn:

1. There won't be any trouble in the dance.
2. Will there be a live band there?
3. They will come home after the disco.
4. Many accidents happen after 11 p.m.
5. You'll be tempted sometimes, but you won't drink too much, will you?
6. Young people face many problems when they go to university.
7. I'll have to look at the programme.
8. Will it be on tomorrow again?

Defnyddiwch ffurfiau Dyfodol 'bod' yn y brawddegau hyn:

1. [bod] ni ddim yn yfed alcohol.
2. Fe [bod] nhw wedi colli popeth.
3. Pryd [bod] chi'n cyrraedd?
4. [bod] hi ddim yn credu'r peth.
5. Fe [bod] chi eisiau gwybod y gwir.
6. [bod] i ddim yn galw eto.
7. Fe [bod] e wedi colli ei gyfle.
8. [bod] nhw'n dod gyda ni?

Berfau Cam 16

Cyfieithwch y brawddegau hyn:

1. They should start thinking about it seriously.
2. We shouldn't be too worried about this.
3. He died two days after the accident.
4. That bottle is mine!
5. The skirt didn't suit her at all.
6. They used to live in the Llynfi valley.
7. You shouldn't drink and drive.
8. I had to go back to town to go to the bank.

Cywirwch y brawddegau hyn:

1. Fe ddylais i fod wedi cael tocyn.
2. Fe ddylai hi wedi mynd at y meddyg.
3. Marwodd hi ar ôl y tân.
4. Ble bywiodd hi cyn dod i Drefeglwys?
5. Gorfodais i basio'r arholiad cyn mynd i'r coleg.
6. Rydw i'n piau'r tŷ.
7. Ddylet ti ddim wedi prynu'r diodydd.
8. Pryd dylaf i fynd adre?

Berfau Cam 17

Defnyddiwch ffurfiau Presennol/Dyfodol cryno'r berfau yn y brawddegau hyn:

1. [mynd] i yno yfory.
2. [dod] e yn ôl cyn bo hir.

3. Fe [gweld] chi lawer yn y stori.
4. Fe [cael] e dipyn o bleser o'r llyfr.
5. [mynd] nhw ddim allan heno.
6. [cael] ni fenthyg y llyfr?
7. [gweld] i ddim byd yn y stori.
8. [gwneud] chi fy helpu i?

Newidiwch y berfau i ffurfiau cryno'r ferf:
1. Dydw i ddim yn gweld pwrpas i'r llyfr.
2. Mae e'n cael llawer o hwyl.
3. Ydy hi'n cael dod gyda ni?
4. Ydyn nhw'n gweld y ddrama?
5. Dydych chi ddim yn cael gyrru.
6. Maen nhw'n yfed y llaeth i gyd.
7. Dydw i ddim yn credu'r peth.
8. Wyt ti'n cael cadw'r llyfr?

Berfau Cam 18
Cyfieithwch y brawddegau hyn:
1. I used to walk to work every day.
2. She used to type all day.
3. We worked hard at school, and passed every examination.
4. While we were driving in the country, it started to rain.
5. They read the paper each morning.
6. I would sleep in the open air when I was camping.
7. For two hours each afternoon, he wrote his diary.
8. You washed the dishes, I wiped them, and we were happy for twenty years.
9. She said that you would apply for the post. [apply – gwneud cais]
10. We knew that they would come to the interview.
11. They heard that I would be starting in September.
12. If I knew that, I would have tried harder.

Cyfieithwch y brawddegau hyn:
1. I could have done the work myself.
2. They should have gone to university.
3. We would have liked to have studied French.
4. He could have passed, but he could not have passed well enough.
5. You should not have bought the present.
6. The country could not have had worse weather.
7. I would have liked to have learnt the language before going.
8. She should have learnt to type before applying for the post.

Berfau Cam 19

Rhowch y terfyniad cywir yn y brawddegau hyn:
1. Ysgrifenn_____ y llyfr gan Islwyn Ffowc Elis.
2. Carchar_____ y dyn am bymtheng mlynedd.
3. Clyw_____ adar yn canu bob bore gyda'r wawr.
4. Dechreu_____ y gwaith adeiladu yfory.
5. Gwel_____ tudalen 97 am ragor o wybodaeth.
6. Gwel_____ ceirw a llwynogod ar y caeau hyn yn gyson.
7. Gwel_____ ar unwaith fod y tŷ wedi chwalu.
8. Cynhel_____ y gyngerdd nos Sadwrn am wyth.

Cywirwch y brawddegau hyn:
1. Cafwyd y milwr ei ladd.
2. Gwelwyd ef y gêm ar y teledu.
3. Ysgrifennir John Hughes yr adroddiad.
4. Darllenodd y newyddion gan Elin Meri.
5. Cafwyd y chwaraewyr eu talu.
6. Cynhalir y gyngerdd nos yfory.
7. Carcharwyd y barnwr ef am ddeng mlynedd.
8. Lladdodd llawer o bobl yn y rhyfel.

Cyfieithwch y brawddegau hyn:
1. Fewer people come on holiday to Wales each year.
2. Rain was heard on the tent all night.
3. A new company will be created next year.

4. They will try to win a place in the college.
5. We should not have believed the story.
6. The economy will improve during the year.
7. How much of the money was raised by the company?
8. Was enough aid sent to the countries of Africa?

Berfau Cam 20

Trowch y rhain i'r Gorberffaith cryno:

1. Roedd y bardd wedi bod yn crwydro trwy'r dydd.
2. Roedd y ferch wedi bod yn cysgu trwy'r bore.
3. Roedd y dynion wedi bod yn chwilio am oriau.
4. Roedd y llyfr wedi cael ei ysgrifennu amser maith yn ôl.
5. Roedd y gerdd wedi cael ei hysgrifennu cyn cyfnod y tywysogion.
6. Roedd y ferch wedi blino'n lân.
7. Roedd y bardd wedi ennill y gadair.
8. Roedd y Gorberffaith wedi diflannu erbyn yr ugeinfed ganrif.

Llanwch y bylchau yn y brawddegau hyn:

1. Beth wnelech chi, pe _____ chi'n ennill y loteri?
2. Pe _____ hi'n bwrw glaw, fyddech chi'n mynd?
3. Pe bai hi'n braf, _____ i'n mynd i'r wlad.
4. Pe baech chi'n mynd, _____ nhw'n mynd hefyd.
5. Pe _____ nhw'n gyfoethog, bydden nhw'n prynu'r tŷ.
6. _____ ti ddim yma, oni bai am y bwyd.
7. _____ chi'n prynu car am bum mil o bunnoedd?
8. Pe bai'r trên yn hwyr, _____ i ddim yn aros.

Arddodiaid

Arddodiaid Cam I
Rhowch arddodiad yn y brawddegau hyn, a threiglwch y gair sy'n dilyn yr arddodiad:

1. Mae hi wedi astudio Cymraeg _____ dwy flynedd.
2. Maen nhw'n cael y llyfr _____ darlithydd y cwrs.
3. Aeth hi _____ gweld y prifathro.
4. Mae _____ tair mil o lyfrau yn y llyfrgell.
5. Rydyn ni _____ canol cwrs Ffrangeg yn y coleg.
6. Mae'r athrawon _____ pwysau mawr.

Llanwch y bylchau yn y brawddegau hyn, a threiglwch y gair ar ôl y bwlch:

1. Mae e'n astudio Ffrangeg _____ coleg Abertawe.
2. Rydyn ni'n astudio Cymraeg _____ Bangor.
3. Mae e'n byw _____ Pen-y-bont.
4. Maen nhw'n astudio lefel A _____ Dinbych.
5. Mae Siân yn mynd i'r coleg _____ Trefynwy.
6. Mae e'n aros _____ Glan-llyn am bythefnos.

Defnyddiwch un o'r geiriau hyn i lenwi'r bylchau, a threiglwch y gair ar ôl y bwlch:
â, gyda

1. Mae hi'n mynd _____ cyfaill i'r coleg.
2. Mae e'n astudio economeg _____ llawer o fyfyrwyr eraill.
3. Maen nhw'n siarad _____ prifathro'r coleg.
4. Ysgrifennodd e'r traethawd _____ pensil.
5. Rydyn ni'n ymweld _____ coleg Aberystwyth yfory.
6. Mae hi'n mynd _____ tri geiriadur i'r coleg.

Rhowch un o'r geiriau hyn yn y bylchau isod:
er, ers, rhwng, wedi, cyn

1. Rydw i'n dysgu Cymraeg _____ mis Medi.
2. Mae'r coleg _____ y môr a'r parc.

3. Rydyn ni'n cael coffi _____ mynd i'r ddarlith.
4. Maen nhw'n nabod y darlithydd _____ blynyddoedd.
5. Es i adre _____ 'r ddarlith.
6. Mae hi'n cael cwpaned _____ y gwersi.

Rhowch arddodiad yn y brawddegau hyn:
1. Mae e'n gweithio _____ 'r dydd.
2. Mae hi'n aros _____ ei ffrind.
3. Mae'r myfyrwyr yn gweithio _____ wyth y nos.
4. Mae'r darlithwyr yn edrych ymlaen _____ y gwyliau.
5. Dydy'r llyfrau ddim _____ y silff yn y llyfrgell.
6. Ydych chi gwybod _____ lyfr da _____ hanes Ewrop?
7. Mae digon _____ lyfrau daearyddiaeth yn y siop.
8. Mae'r ddarlithwraig yn ysgrifennu _____ y bwrdd du.
9. Rydw i'n astudio _____ Ngholeg Caerfelin.
10. Rydyn ni wedi bod yma _____ wyth y bore.

Cyfieithwch y brawddegau hyn:
1. I'm writing to the manager.
2. He's nasty to the girl.
3. I'm reading a good book on Welsh history.
4. I'm lost – I'm looking for a swimming pool.
5. They're talking to the college head.
6. We're trying to listen.
7. She's taking a book home to read.
8. He's been living [=he's living] here for eight years.

Cywirwch y treigladau yn y brawddegau hyn:
1. Rydw i'n ysgrifennu at prifathro'r coleg.
2. Mae e'n byw rhwng Gaerdydd ac Abertawe.
3. Dydy hi ddim yn geisio deall.
4. Rydyn ni'n darllen am bachgen o'r Fenni.
5. Dydyn nhw ddim yn gas wrth pawb.
6. Ydych chi'n byw yn Pont-y-pridd?
7. Mae hi'n dod o Llanelli.
8. Dydy e ddim yn mynd i gwersylla'n aml.

Arddodiaid Cam 2

Gorffennwch:

1. Ydych chi wedi clywed _____ nhw?
2. Rydw i'n gwybod _____ fe.
3. Maen nhw'n cofio _____ chi.
4. Ydyn nhw'n siarad _____ ni?
5. Pwy sy'n meddwl _____ hi?
6. Does dim sôn _____ hi yn unman.

Cyfieithwch y brawddegau hyn:

1. They're arriving at eight o'clock.
2. She's always talking about you.
3. They're staying for two hours.
4. Put a coat on!
5. It looks like rain today.
6. Because of that, put wellingtons on your feet!

Cyfieithwch y brawddegau hyn:

1. She's reading about it in the paper.
2. He's making fun of the teaching.
3. They're forgetting about the trouble last night.
4. We're putting on a coat – it's going to rain.
5. It's starting at twelve o'clock, so I'll have to go for the time being.
6. What is she talking about?
7. He's always worrying about his hair.
8. They're not a bad band, I suppose.

Cywirwch yr arddodiaid yn y brawddegau hyn:

1. Maen nhw wedi dweud y stori i fi.
2. Roedden nhw'n chwerthin ar ben y bachgen bach.
3. Ysgrifennodd e'r llythyr i'r prifathro.
4. Rydw i wedi clywed amdano Huw.
5. Roedd e wedi darllen y stori yn y papur amdano hi.
6. Beth mae e wedi ei ddweud am fi?
7. Mae e wedi dweud wrth Huw i orffen y gwaith.
8. Roedden nhw wedi cyrraedd at ddeg o'r gloch.

Arddodiaid Cam 3

Rhowch un o'r ddau air isod yn y bylchau:

â, gyda

1. _____ phwy fuest ti yn y ddawns?
2. Fuest ti'n siarad _____ Jac yno?
3. Beth wnest ti _____ 'r nos?
4. Oeddet ti wedi trefnu cwrdd _____ Jac cyn mynd i'r ddawns?
5. Pam doeddet ti ddim gartre tan dri y bore? Fuest ti'n caru _____ fe ar ôl y ddawns?
6. Pryd ffarweliest ti _____ 'th ffrindiau di?
7. Gerddaist ti adre _____ 'r merched?
8. Gytunest ti i gwrdd _____ Jac eto?
9. Wnei di gytuno i beidio _____ chwrdd â Jac eto?
10. Ydy Jac wedi, ym, cyffwrdd _____ thi erioed?

Cywirwch y brawddegau hyn:

1. Roeddwn i'n siarad gyda fe.
2. Rydyn ni wedi mynd gyda'r llyfr i'r llyfrgell.
3. Ydych chi wedi coginio gyda'r sosban?
4. Roedd y ci'n ymladd gyda'r gath.
5. Oedden nhw wedi cerdded adre â hi?
6. Siaradodd e i ni trwy'r prynhawn.
7. Trawodd e ei fys gyda morthwyl.
8. Pwy mae e'n caru gyda?

Arddodiaid Cam 4

Cyfieithwch y brawddegau hyn:

1. Do I have to see the manager?
2. I've succeeded in opening an account.
3. She's let him do the work.
4. He tended to be lazy.
5. He promised them a party.
6. It was lovely to see you again.
7. It was very difficult for us to pay the bill.
8. She asked us to look at the house.

Cywirwch y brawddegau hyn:
1. Mae hi'n dda i'ch gweld chi.
2. Mae e wedi dysgu i'r bachgen i nofio.
3. Roeddech chi'n wedi gofyn wrth Huw ddoe.
4. Mae e wedi chwarae rygbi am Gymru.
5. Ar ôl y bechgyn yn dod adref, aethon nhw i'r gwely.
6. Roedd e eisiau fi i weld y llythyr.
7. Roedd e wedi diolch Siân am wneud y cinio.
8. Mae hi'n gyfleus i'r plant i fynd allan heno.

Arddodiaid Cam 5
Cyfieithwch y brawddegau hyn:
1. I'm surprised at the beauty of the country.
2. Give her my regards.
3. My mother is getting on for fifty.
4. The concert was not to everyone's taste.
5. Although there was a lot of work in the garden, he set about it at once.
6. After returning home, he wrote to them to thank them.
7. Does the holiday appeal to you?
8. They contributed generously towards the appeal.

Llanwch y bylchau yn y brawddegau hyn:
1. Ysgrifennodd hi lythyr _____ i.
2. Oedd y daith yn apelio _____ chi?
3. Anfonais i gerdyn post _____ hi.
4. Daliwch _____ !
5. Cofiwch fi _____ nhw!
6. Rhedodd hi _____ fe.
7. Roedd y neges yn cyfeirio _____ chi.
8. _____ bwy maen nhw'n mynd?

Arddodiaid Cam 6
Cwblhewch:
1. Ydy America wedi ymosod _____ nhw?
2. Ydy'r bai _____ ni?
3. _____ chi mae'r bai.

4. Rydw i'n gweld bai _____ nhw.
5. Hon yw'r dref y mae'r bomiau wedi disgyn _____ hi.
6. Mae _____ i ddeg punt iddyn nhw.
7. Roedd _____ chi bum punt i fi am y bwyd.
8. Mae hi'n wael iawn _____ ni.

Cyfieithwch y brawddegau hyn:
1. They were in great need of food.
2. After the holiday we were in debt.
3. The people were in great fear.
4. We depended on them to finish the work.
5. She got rid of all the evidence.
6. When he failed the examination, he blamed the school.
7. The politician listened to us, but we didn't influence him.
8. Why am I always at fault?

Cywirwch y brawddegau hyn:
1. Gwnes i'r gwaith ar fy hunan.
2. Roedd e wedi troi'r golau ar.
3. Mae milwyr America wedi ymosod arno Iwgoslafia.
4. Aeth hi ar wyliau ar ben ei hun.
5. Rydyn ni'n edrych ymlaen ar y gêm ddydd Sadwrn.
6. Chechnya yw'r wlad maen nhw wedi ymosod ar.
7. Mae ein plant yn dod i ginio yma ar brydau.
8. Maen nhw'n cyrraedd yfory ac yn galw arnon ni ar ddydd Sadwrn.

Arddodiaid Cam 7
Ysgrifennwch ffurf gywir y gair rhwng [ ]:
1. Roedd hi'n dweud rhywbeth [wrth] fe wrth [drws] y clwb.
2. Roedd ei ffrindiau wedi bod yn gas [wrth] hi a'i chariad.
3. Roedd hi wedi dweud [wrth] nhw ei bod hi'n cenfigennu [wrth] nhw.
4. Roedden nhw wedi bod yn gas iawn [wrth] fe.
5. Mae hi'n bryd iddyn nhw ddweud y gwir [wrth] ni.
6. Mae hi bob amser yn garedig iawn [wrth] i.

Cywirwch y brawddegau hyn:
1. Roedd e'n gas iawn i fi.
2. Roeddwn i wedi dweud yr hanes i John.
3. Roedd hi wedi cyfaddef y cyfan i fi.
4. Peidiwch â dweud popeth wrtho Siân.
5. Ydych chi wedi cael llythyr wrth Huw bore 'ma?
6. Aeth hi i gysgu pan yn gwylio'r teledu.
7. Roedden nhw wrth ei bodd.
8. Roedd digon o fwyd ar law, diolch byth.

Cyfieithwch y brawddegau hyn:
1. How much money have we got in reserve?
2. She was very kind to his brother.
3. They did the work at their own pace.
4. We saw the castle while driving around Snowdonia.
5. We told them the whole story.
6. Thank you for being so kind to us.
7. She was in her element on hearing the news.
8. They tried to be nasty to me.

Arddodiaid Cam 8
Cyfieithwch y brawddegau hyn:
1. She did the work for me.
2. He played for his college many times.
3. I can't answer for anyone else.
4. I left my clothes on the beach, but the tide went over them.
5. Can you look over it for me?
6. We'll have to look at the growth over a considerable period.
7. He tried to make a good impression, but he went over the top.
8. Although I don't like him, I voted for him.

Cyfieithwch y brawddegau hyn:
1. I received the news through him.
2. He got the job through you, thank goodness.
3. He told her by writing to her.

4. He's complaining all the time.
5. Luckily we got over it all right.
6. He went through to the kitchen.
7. He read through the paper in two minutes.
8. When I'm through with him, he'll be sorry.

Cyfieithwch y brawddegau hyn:
1. Don't go without me!
2. He walked to town without saying a word.
3. She returned home not having seen the capital city.
4. He talked bluntly without waiting for an answer.
5. My certificates? I've come without them!
6. I could not have done it without you.
7. They are without a doubt the best team in Wales.
8. They are typical students, without a care in the world.

Cyfieithwch y brawddegau hyn:
1. Has anything come between you?
2. Between you and me, I don't think there's much hope.
3. We've collected enough money between us all.
4. We went out between six and seven o'clock.
5. There wasn't much difference between him and his sister.
6. They didn't have enough money for a meal between them.
7. The castle was on a hill between the bridge and the lake.
8. After the visit they haven't spoken to each other.

Arddodiaid Cam 9
Cyfieithwch y brawddegau hyn:
1. Has anything come of him?
2. They won by five points.
3. I suffer from a cough from time to time.
4. Having wandered from place to place, he settled down at last.
5. They didn't take any notice of them.
6. Have you reminded him of it before?

7. There were too many people making studies of people's opinions.
8. It was probably advantageous.

Llanwch y bylchau yn y brawddegau hyn:
1. Ar ôl yr holl siarad, ddaeth dim byd _____ fe.
2. Roeddwn i eisiau gweld mwy _____ hi.
3. Welais i _____ chi drwy'r nos.
4. Chymerodd hi ddim sylw _____ nhw.
5. Doedd dim siw na miw _____ hi.
6. Lwyddon nhw ddim i gael gwybodaeth _____ hi.
7. Fe wnaeth e fôr a mynydd _____ fe.
8. Roeddwn i'n dioddef _____ fe trwy'r dydd.

Arddodiaid Cam 10
Llanwch y bylchau yn y brawddegau hyn:
1. Dydw i ddim yn credu dim _____ fe.
2. Celwydd yw'r stori – does dim gwir _____ hi.
3. Dyma lun o'r duwiau roedd y Celtiaid yn credu _____ nhw.
4. Oes digon o le _____ hi i ni gael cinio?
5. Y we? Dydw i ddim yn gweld dim lles _____ hi.
6. Maen nhw'n teithio _____ fe bob dydd.
7. Edrychais i yn y llyfrau ond doedd dim byd _____ nhw.
8. Mae ffydd gennyn ni _____ ti.

Rhowch 'yn' o flaen y llefydd hyn:
1. Bangor
2. Caerdydd
3. Taliesin
4. Pen-y-bont
5. Garn-swllt
6. Manceinion
7. Dinbych
8. Creigiau

Arddodiaid Cam 11

Cyfieithwch y brawddegau hyn:

1. I'm glad to be back.
2. I'd rather see a proper parliament in Wales.
3. I'm sorry that she won't be here.
4. The policy was written by them before the election.
5. She had a bad back, so she walked with care.
6. Which coat do you prefer?
7. He was pleased that they had a home at last.
8. The prime minister had a bad conscience.

Cywirwch y brawddegau hyn:

1. Roedd llawer o fwyd ganddon ni.
2. Doedd dim syniad ganddo fi.
3. Oes pleidlais ganddoch chi yn yr etholiad?
4. Gan pwy mae'r hawl i bleidleisio?
5. Daethon nhw gennyf i i'r dref.
6. Ysgrifennwyd y nofel ganddo'r awdur.
7. Ydy'r wisg ganddi Siân?
8. Rydw i gan y gwaith i gyd.

Arddodiaid Cam 12

Cyfieithwch y brawddegau hyn:

1. The girl went home singing.
2. They had some success after studying under him.
3. We were under considerable pressure to pass.
4. I'm not waiting for you for ever.
5. She'll never pass, even if she'll work until next year.
6. Has anyone in your family worked underground?
7. There was a wonderful view beneath us.
8. He's completely under her thumb.

Llanwch y bylchau ag arddodiaid addas:

1. Doedd dim coes _____ nhw.
2. Roedd y papurau ar y llawr _____ hi.
3. Ydych chi wedi clywed _____ fe?

4. Arhosodd e trwy'r dydd _____ hi.
5. Rydw i'n astudio yn y coleg _____ yr haf.
6. Roedd rhaid pasio – doedd dim byd arall _____ .
7. Oedd rhywun yn gweithio _____ chi?
8. Aeth hi allan o'r arholiad _____ ganu.

Arddodiaid Cam 13

Dewiswch o blith y geiriau hyn wrth lenwi'r bylchau: mewn, i mewn i, yn, ym

1. Roedd hi _____ pentref bach yng Nghymru.
2. Edrychodd hi _____ 'r cwpan.
3. Rwy'n credu _____ ysbrydion.
4. Ydych chi'n credu _____ Nuw?
5. Mae'r llyfrau i gyd _____ llyfrgell y coleg.
6. Aethoch chi i'r dref _____ bws?
7. Roedd yr allwedd _____ mhoced ei got.
8. Mae'r record _____ siartiau Cymru ers wyth wythnos.

Cyfieithwch y brawddegau hyn:

1. There are too many books in the National Library of Wales.
2. In some cases, it is better to look up the web.
3. There were many mistakes in her friend's work.
4. When did you see a swallow in any part of the country?
5. They are very interested in languages.
6. She was in bad spirits all day.
7. In winter, it is better to eat warm food once a day.
8. They will be in prison for years.

Arddodiaid Cam 14

Cyfieithwch y brawddegau hyn:

1. She safeguarded her children from the flu.
2. They sheltered from the rain.
3. I'm wearing a coat in case it will rain.
4. They are protecting the fields from the effects of the storm.
5. Form what are you hiding?
6. I'm staying at home – in case.

7. We all want to escape from poverty.
8. We fled from the shooting.

Rhowch arddodiad addas yn y bylchau:
1. Roeddwn i'n cysgodi _____ y gwynt.
2. Doedd dim ffoi _____ y glaw.
3. Ydych chi wedi dioddef _____ annwyd?
4. Gofynnon nhw am gymorth _____ yr heddlu.
5. Cefais i lythyr _____ fy chwaer.
6. Rhedodd hi ar frys _____ 'r tŷ.
7. Doedd dim bai _____ y plant.
8. Oes angen amddiffyn _____ y ffliw?

Arddodiaid Cam 15
Cyfieithwch y brawddegau hyn:
1. I went there although the weather was bad.
2. She has been here since 1996.
3. They put up the statue in memory of the politician.
4. He's leaving her, for better or for worse.
5. We've stayed there since the spring.
6. We're doing this for your benefit.
7. We had a good time although it rained.
8. They bought the house in spite of the size of the garden.

Rhowch ymadrod addas yn y bylchau. Dewiswch o blith y rhain: er hynny, er lles, er bod, erstalwm, ers amser, er mwyn popeth, er iddi, er cof
1. Rhoddodd yr athro waith ychwanegol _____ y dosbarth.
2. Roedden nhw'n hoffi mynd i'r eisteddfod _____ .
3. _____ y tywydd yn ddrwg, aethon nhw i'r traeth.
4. Maen nhw'n cynnal gwasanaeth _____ am y rhai oedd wedi marw yn y ddamwain.
5. Gadewch lonydd iddi hi, _____.
6. Aeth e at y meddyg, ond wnaeth e ddim gwella _____.
7. Dydw i ddim wedi gweld fy mrawd _____.
8. Doedd hi ddim yn hapus _____ hi ennill y gêm.

Arddodiaid Cam 16

Cyfieithwch y brawddegau hyn:

1. They stayed in the cinema throughout the film.
2. We went there during the summer.
3. They are on the point of finishing the work.
4. The Englishman went up the hill and came down the mountain.
5. The bus will be here very shortly.
6. What are you going to do, in face of the difficulties?
7. He pulled her by her hair.
8. More young people speak Welsh by now.

Llenwch y bylchau isod â'r ymadroddion hyn:
yn anad neb, yn ystod, yn rhinwedd ei swydd, yn wyneb, yn erbyn, trwy gydol, cyn pen, ar fin

1. Roedd hi'n bwrw glaw _____ yr haf.
2. Maen nhw _____ symud tŷ.
3. Mae'r senedd yn dod i ben _____ y mis.
4. _____ yr anawsterau, aethon nhw ddim.
5. Fe, _____ , oedd yn gyfrifol am y llwyddiant.
6. Roedd rhaid iddi hi fod yno _____ .
7. Roedden nhw wedi pleidleisio _____ y cynnig.
8. Doedd dim byd yn digwydd yn y senedd _____ y gwyliau.

Arddodiaid Cam 17

Rhowch arddodiad addas yn y bylchau hyn a'i newid i gytuno â'r rhagenw os oes angen. Dewiswch o blith y rhain:
heblaw, erbyn i, tuag at, tu mewn i, heibio i, ynglŷn â, heblaw, ar wahân i

1. Roedd y sefyllfa wedi ei datrys _____ ni streicio.
2. Roedd y perchennog yn gas _____ nhw.
3. Arhosodd pawb gartref _____ fi.
4. Aeth pawb ar streic _____ chi.
5. Roedd y ffatri ar gau: cerddodd y gweithwyr _____ hi.
6. Doedd neb yn gweithio _____ hi heddiw.
7. Gall pawb streicio _____ 'r heddlu.
8. Dydyn ni'n gwybod dim _____ 'r streic.

Cywirwch y brawddegau hyn:
1. Dydyn ni ddim wedi clywed amdano'r streic.
2. Rhedodd y gweithwyr i mewn iddo'r gwaith.
3. Protestiodd y dynion nes i nhw ennill.
4. Cerddodd y merched i lawr i'r mynydd.
5. Dringon ni i fynny'r bryn.
6. Aeth hi i Ffrainc mewn ystod y gwyliau.
7. Byddwn ni'n gorffen y gwaith cyn pen flwyddyn.
8. Roedd hiraeth arni pan oedd hi ar fin adael.

Arddodiaid Cam 18
Cywirwch y brawddegau hyn:
1. Maen nhw wedi gwneud y gwaith ar gyfer fi.
2. Chwarddodd e ar fy mhen i.
3. Eisteddodd y ferch yn ymyl ni.
4. Cariodd y sach ar gefn e.
5. Ydych chi'n mynd i chwarae yn lle hi?
6. Roedd y tywydd yn ddrwg, yn ôl nhw.
7. Mae rhai gweithwyr da ymhlith nhw.
8. Mae e ar ochr ni bob tro, chwarae teg.

Rhowch ffurf gywir yr arddodiad yn y brawddegau hyn:
1. Coginiodd e'r bwyd [er mwyn + hi].
2. Does gen i ddim byd [yn erbyn + nhw].
3. Gwnaeth e'r gwaith [yn lle + fi].
4. Roedd coedwig fawr [ar bwys + fe].
5. Codon nhw siop [yn ymyl + nhw].
6. Roedd llawer o dlodi [ymysg + nhw].
7. Diolch bod to [uwchben + fi].
8. Does dim un chwaraewr da [ymhlith + nhw].

Arddodiaid Cam 19
Cywirwch y brawddegau hyn:
1. Cerddodd e yn ôl i ei dŷ ef.
2. Roedden nhw wedi rhedeg o'u amgylch nhw.
3. Cyrhaeddodd e'r coleg o flaen hi.

4. Siaradodd hi'n gryf iawn o'm blaid i.
5. Gorffennodd hi'n gynnar oherwydd ef.
6. Rhedon ni'n syth i ganol nhw.
7. Doedd neb o'm flaen i yn y rhes.
8. Mae rhyw ddillad od o'th cylch di heddiw.

Rhowch y rhagenwau ar ôl neu ynghanol yr arddodiaid yn y brawddegau hyn:
1. Fe wnaeth e'r gwaith [er mwyn + i].
2. Rhedodd hi'n gyflym [ar ôl + nhw].
3. Roedd hi wrth ei bodd [ynghanol + nhw.]
4. Daeth yr arlywydd i gerdded [ymysg + ni].
5. Roedd pawb yn bresennol [heblaw + chi].
6. Taflodd hi'r llyfr [tuag at + ef].
7. Roedd yr etholaeth yn gadarn iawn [o plaid + i].
8. Rhedodd hi [i + canol +nhw].

Y Fannod Cam I
Dywedwch yn Gymraeg:
1. a cat collar
2. a horse's foot
3. a cow's leg
4. goat cheese
5. lamb's meat
6. cat food
7. a cat's bed
8. a dog's tail
9. a farm animal

Y Fannod Cam 2
Rhowch ffurf gywir y fannod yn y bylchau hyn:
1. Dydw i ddim yn gallu dod o hyd i _____ llyfrgell.
2. Mae _____ castell wrth _____ parc, ond ble yn _____ byd mae _____ llyfrgell?
3. Ydy hi wrth _____ eglwys? Ydy hi wrth _____ sinema?
4. "Esgusodwch fi." "Fi?" "Ie, chi. Ble mae _____ llyfrgell, os gwelwch yn dda?"
5. " _____ llyfrgell? Llyfrgell _____ coleg?"
6. "Nage, llyfrgell _____ dre."
7. "Wel, ewch i _____ chwith, at _____ ysgol. Wedyn trowch i _____ heol ar _____ dde, at _____ afon.
8. Wrth _____ afon trowch i _____ chwith eto, ac mae _____ llyfrgell ar _____ heol wrth _____ ysbyty, ar _____ dde."

Cywirwch y brawddegau hyn:
1. Rydw i'n mynd i'r lyfrgell heno.
2. Ydy y sinema wrth yr afon?
3. Maen nhw'n mynd i weld yr eglwys, castell a marchnad.
4. Trowch chwith, os gwelwch yn dda.

5. Ewch dde ar y sgwâr.
6. Ble mae y ganolfan siopa?
7. Neidiodd hi dros yr wal fawr.
8. Cerddon nhw o y gwesty i yr afon.

Y Fannod Cam 3

Cywirwch y brawddegau hyn:
1. Mae'r afon Hafren yn llifo i Fôr yr Hafren.
2. Mae Almaen, Eidal a Swistir yn yr Undeb Ewropeaidd.
3. Es i i Fangor, Barri a Bala'r haf yma.
4. Beth ydych chi am ei wneud yn ystod gwyliau Pasg?
5. Rydw i'n edrych ymlaen at wanwyn eleni.
6. Roedden ni'n hedfan dros y Môr India ar y ffordd i'r Awstralia.
7. Yn haf, maen nhw'n treulio eu gwyliau yn y Sbaen.
8. Roedd hi bob amser yn siarad yn Gymraeg Sir Benfro.

Cyfieithwch y brawddegau hyn:
1. He went from Bala to Barry in one day.
2. Do you live in Germany or Italy?
3. I'm looking forward to summer.
4. We went to church at Easter time.
5. I like fishing in the river Taff.
6. Where is Egypt? It is to the east of Libya.
7. They want to go to north Wales over Christmas.
8. Where are you going in winter?

Y Fannod Cam 4

Cyfieithwch y brawddegau hyn:
1. It costs £1.50 per kilo.
2. He drove at 60 miles per hour.
3. 20 % speak Welsh.
4. They made 20p profit per loaf.
5. The paper costs a £1 a copy.
6. They want twenty pounds a ticket.

7. We are selling them at £2 each.
8. How much an hour does she charge?

Rhowch ymadroddion addas yn y brawddegau hyn. Dewiswch o blith y rhain:
y peint, yr un, y copi, y cant, yr awr, y botel, yr wythnos, y,
1. Mae hi'n eu gwerthu nhw am bunt _____ .
2. Roedd hi'n gyrru saith deg milltir _____ .
3. Roedd y llyfr yn cael ei werthu am ddeg punt _____ .
4. Fe wnaeth hi elw o 20c _____ dorth.
5. Mae 80 _____ yn siarad Cymraeg yng Nghwm Sianco.
6. Ydych chi'n gwerthu gwin am bum punt _____ .
7. Mae llaeth yn costio pum deg ceiniog _____ .
8. Roedd hi'n galw bob dydd Sul: unwaith _____ felly.

Y Fannod Cam 5
Cyfieithwch y brawddegau hyn:
1. 5% of the population of Wales have suffered from flu this winter.
2. 25% of the population of north Wales have had measles.
3. 10% of the children of south Wales have had chicken pox.
4. A large number of old miners suffer from heart disease.
5. We want enough beds in hospitals to deal with whooping cough.
6. I suffer from hay fever in summer.
7. I had measles when I was ten.
8. Have yout got anything for a sore throat?

Cywirwch y brawddegau hyn:
1. Mae e'n dioddef o frech goch.
2. Mae'r peswch arna i.
3. Oes gyda chi rywbeth yn erbyn y pen tost?
4. Ydych chi'n ofni cael yr annwyd?
5. Pryd dechreuoch chi ddioddef o'r cefn tost?
6. Ydy'r annwyd arnoch chi?

7. Cafodd hi frech Almaenig pan oedd hi'n fach.
8. Bu e farw o glefyd y galon.

Y Fannod Cam 6

Cyfieithwch y brawddegau hyn:

1. He was in prison for eight years.
2. What are you doing at work?
3. She went to chapel regularly.
4. We all went to bed early.
5. After the accident I was in hospital for a week.
6. Are you going to college today?
7. They're going there by bus.
8. Her petticoat was showing.

Cywirwch y brawddegau hyn:

1. Ewch i wely ar unwaith.
2. Dydw i ddim yn mynd i gapel yn awr.
3. Aethoch chi i dref ddoe?
4. Roedd ei ddillad isaf mewn golwg.
5. Cadwon nhw hi mewn yr ysbyty am wythnos.
6. Beth yw 'exercise' yng Nghymraeg?
7. Bydden nhw'n mynd i eglwys bob wythnos.
8. Daeth e allan o garchar ar ôl dwy flynedd.

Ansoddeiriau Cam 1

Cyfieithwch y brawddegau hyn:

1. The film is the only good programme tonight.
2. All the programmes tonight are in Welsh.
3. Who is the main actress in the film?
4. They're showing old films once again.
5. An exciting play? What about the pathetic acting?
6. Which afternoon are they filming?
7. Who is the main news reader tonight?
8. Some people watch three soap operas a night.

Newidiwch oddrych y brawddegau hyn yn fenywaidd, gan dreiglo'r ansoddair os oes angen:

1. Mae'r bachgen bach yn hoffi chwarae.
2. Mae'r dyn tew yn bwyta trwy'r amser.
3. Ble mae'r tad cydwybodol?
4. Fe yw'r prif actor.
5. Mae fy ewythr cyfoethog yn dod i ginio.
6. Mae ei hoff gefnder yn galw heno.
7. Pwy yw'r ysgrifennydd gweithgar?
8. Mae'r bechgyn tlawd yn chwilio am ddillad.

Ansoddeiriau Cam 2

Cyfieithwch y brawddegau hyn:

1. Who's playing the part of the lonely wife?
2. They were showing various programmes all evening.
3. There was a real elephant on the stage.
4. Name your favourite programme and your most hated programme.
5. With all due respect, it was a completely awful film.
6. I only have a faint memory of the play.
7. We are the only people in the audience.
8. She has an excellent voice but an awful accent.

Rhowch ansoddair addas yn y bylchau. Dewiswch o blith y rhain:

hollol, unig, cwbl, gwahanol, cas, gwironeddol, hoff, gwir

1. Roedd y ddrama'n _____ anniddorol.
2. Pa un yw eich _____ raglen?
3. S4C yw'r _____ sianel sy'n dangos y gêm.
4. Mae _____ fathau o operâu sebon ar y teledu.
5. Mae'r ffilm wedi ei seilio ar berson _____ .
6. Rydw i wedi clywed yr esgus. Ond beth oedd y _____ reswm?
7. Reg yw ein _____ actor. Mae e'n anobeithiol.
8. Roedd hi'n _____ amhosibl ei deall hi'n siarad.

Ansoddeiriau Cam 3

Cywirwch y brawddegau hyn:

1. Roedd y briodferch yn gwisgo gwisg gwyn, hir.
2. Mae'r Blaid Gwyrdd yn boblogaidd yn yr Almaen.
3. Mae hi'n gwisgo sgert byr.
4. Merch bychan yw Mary.
5. Gwlad llwm yw Sudan.
6. Mae ganddi hi het melyn ar ei phen.
7. Bydd y Gymraeg yn iaith gryf unwaith eto.
8. Arhosodd hi am awr byr.

Cyfieithwch y brawddegau hyn:

1. I bought it on the black market.
2. I couldn't pick up the heavy chair.
3. There was a green tree by the house.
4. She had a short skirt.
5. Have you read 'A white star on a white background'?
6. Yes, it's a great novel, but I don't understand it.
7. Have you had measles?
8. She worked for the Red Cross.

Ansoddeiriau Cam 4

Trowch yr enwau a'r ansoddeiriau i'r lluosog:

1. Roedd [afal coch] ar y bwrdd.
2. Rwy'n hoffi bwyta [taten bob].
3. Roedd y [ffermwr cryf] yn gweithio yn y [cae].
4. Mae'r Gymraeg yn un o [iaith fach] y byd.
5. Mae gan y wlad [dref fawr].
6. Roedd [gardd hir] o flaen y tai.
7. Adroddiad ar addysg yng Nghymru yn 1847 yw'r [Llyfr Glas].
8. Mae Cymru'n cael ei disgrifio'n wlad y [faneg wen].

Rhowch ffurf luosog yr ansoddeiriau hyn, os oes ganddyn nhw un:

1. crwn
2. gwyn
3. coch
4. meddal
5. bach
6. bychan
7. mawr
8. glas
9. cryf
10. melyn
11. tal
12. du

Ansoddeiriau Cam 5

Cywirwch y brawddegau hyn:

1. Roedd y gwasanaeth yn y siop fach mor cyflym ag yn yr archfarchnad.
2. Mae'r bwyd yn y cigydd yn mor flasus â'r cig yn y farchnad.
3. Mae'r llawr mor lân a'r bwrdd.
4. Mae orenau mor iachus â afalau.
5. Roedd y lle mor frwnt â twlc mochyn.
6. Mae'r ffilm mor ddiddorol ag y llyfr.

7. Roedd y moron mor rad â'r tatws.
8. Mae'r gwasanaeth yn cynddrwg â'r bwyd.

Lluniwch frawddegau'n cymharu'r rhain:
e.e. Mae'r siop fach mor rhad â'r farchnad.

1. ffilm	diddorol	llyfr
2. cig	rhad	pysgod
3. marchnad	drud	siop
4. menyn	blasus	margarîn
5. bws	llawn	trên
6. car	cyflym	bws
7. merch	tal	bachgen
8. cig	gwydn	lledr

Ansoddeiriau Cam 6

Cyfieithwch y brawddegau hyn:
1. Wales is richer than many other small countries.
2. The weather is colder in summer than in winter.
3. Third world countries aren't more industrial than western countries.
4. Poverty in the country is not worse than poverty in the town.
5. The mountains are always colder than the valleys.
6. Life in the country is less complicated than life in the city.
7. Africa is a richer continent than Europe.
8. Taxi drivers' income is more than farmers' income.

Lluniwch frawddegau gan ddefnyddio'r elfennau hyn:

1. Lloegr	poblog	Cymru
2. Cymru	diwydiannol	Iwerddon
3. y Swistir	mynyddig	yr Iseldiroedd
4. yr Almaen	cyfoethog	Groeg
5. Gwlad Belg	gwastad	Cymru
6. Cymru	gwledig	Iwerddon
7. y Swistir	tlawd	Sudan
8. Sweden	coediog	Denmarc

Ansoddeiriau Cam 7

Cyfieithwch y brawddegau hyn:

1. She was the stronger of the two.
2. They were the quickest runners in the race.
3. Although we are the best, we were not chosen.
4. Did you win the race? No, I was third.
5. Which building is the highest in New York?
6. The Welsh news is the most interesting.
7. The tide in Swansea is the second highest in the world.
8. That's the saddest thing I've heard this year.

Lluniwch frawddegau'n cynnwys yr elfennau hyn:
e.e. Everest ydy'r mynydd mwyaf uchel yn y byd.

1. y Swistir	cyfoethog	Ewrop
2. yr Wyddfa	uchel	Cymru
3. Caerdydd	poblog	Cymru
4. Gwyddoniaeth	diflas	ysgol
5. Sioned	prydferth	dosbarth
6. John	cyflym	ras
7. yr Alban	mynyddig	Prydain
8. rygbi	poblogaidd	Cymru

Ansoddeiriau Cam 8

Cyfieithwch y brawddegau hyn:

1. Nuclear energy is specially dangerous.
2. Nuclear waste is awfully poisonous.
3. Plutonium is exceptionally dangerous.
4. Television can be unbelievably boring.
5. Wind power is remarkably safe.
6. The girl was seriously ill.
7. Gas can be astoundingly useful.
8. Transporting oil is enormously difficult.

Cywirwch y brawddegau hyn:

1. Mae ynni niwclear yn ofnadwy peryglus.
2. Rydyn ni'n defnyddio ofnadwy gormod o drydan.

3. Mae ynni naturiol yn hynod pwysig i ddyfodol y byd.
4. Mae dibynnu ar un math o ynni'n difrifol o ffôl.
5. Ydych chi'n gwybod bod ynni niwclear yn beryglus iawn dros ben?
6. Mae tanau glo'n gallu bod yn dros ben o beryglus.
7. Os ydy nwy yn gollwng, mae'n gallu achosi damweiniau eithriadol cas.
8. Mae ynni gwynt yn mwy diogel nag ynni niwclear.

Ansoddeiriau Cam 9

Rhowch ansoddeiriau gwrthwyneb eu hystyr yn y brawddegau hyn:

1. Roedd y noson yn hwyliog iawn.
2. Mae'r trefniadau teithio'n gyfleus.
3. Maen nhw'n credu eu bod nhw'n bwysig.
4. Roedd hi'n ymddwyn mewn ffordd anweddus iawn.
5. Ydy'r cwpwrdd yn dal yn drefnus?
6. Rydw i'n barod i helpu fy hen goleg.
7. Mae'r cinio'n flasus iawn.
8. Mae hi wedi mynd yn ferch ddibynnol iawn.

Newidiwch yr ansoddeiriau yn y brawddegau hyn, gan ddefnyddio rhai gwrthwyneb o ran ystyr:

1. Roedd y chwaraewyr yn amyneddgar iawn.
2. Roedd y dyfarnwr yn brofiadol dros ben.
3. Doedd y gôl gyntaf ddim yn ddibwys.
4. Gwnaeth hi'r gwaith yn ofalus.
5. Mae'r stori'n un ystyrlon.
6. Maen nhw'n bobl drefnus.
7. Nhw yw'r rhai mwyaf twyllodrus yn y dref.
8. Mae hi'n ferch deimladwy iawn.

Ansoddeiriau Cam 10

Cyfieithwch:

1. The cheap looking book.
2. An excellently prepared meal.
3. The wonderfully cooked food.
4. A cleverly written letter.
5. A solidly built bridge.
6. The quickly running stream.
7. A half-read novel.
8. The excellently painted picture.

Rhowch ymadroddion addas yn y bylchau. Dewiswch o blith y rhain:

ychydig bach, ddim hanner da, ychydig bach yn rhy, cymharol rad, ddim hanner call, lled dda, hollol benderfynol, dros ben

1. Roedd y siwt _____ gostus i fi, felly phrynais i mohoni hi.
2. Roedd y crysau'n rhad _____ , felly prynais i bump.
3. Roedd y sgert _____ yn fach, felly es i â hi yn ôl i'r siop.
4. Mae'r siop hon yn _____ , felly rwy'n prynu yno'n eithaf aml.
5. Rydw i'n teimlo'n _____ , rydw i bron wedi gwella.
6. Mae e yn y gwely o hyd – dyw e _____ .
7. Aethoch chi i nofio ddydd Nadolig? Dydych chi _____ .
8. Rydw i'n _____ o wneud y gwaith yn iawn y tro hwn.

Ansoddeiriau Cam 11

Newidiwch y brawddegau hyn, gan ddilyn y patrwm hwn:

e.e. Mae modd bwyta'r cig. Mae'r cig yn fwytadwy.

1. Mae modd gweld yr effaith.
2. Mae modd yfed y gwin.
3. Mae modd gweld y gwahaniaeth.
4. Mae modd cofio'r perfformiad.
5. Mae modd darllen y llyfr.
6. Roedd modd deall y neges.
7. Roedd modd credu'r stori.
8. Roedd modd bwyta'r caws.

Cyfieithwch y brawddegau hyn:.
1. The food was edible, but the water wasn't drinkable.
2. The music is pleasant, and the actors are very able.
3. The Welsh think that they are a cultured people.
4. Although the film was awful, we had a satisfactory evening.
5. An elected body is better than a selected one.
6. Don't talk to me about politicians. They're all corrupt.
7. Sustainable growth? What does that mean?
8. She was a kind, dreamy woman.

Ansoddeiriau Cam 12
Cywirwch y brawddegau hyn:
1. Mae chwaraewyr Cymru heddiw cyn gynddrwg â phlant.
2. Dydy'r swper ddim cyn gystled â'r cinio.
3. Roedd y gwaith cartref mor hawsed â'r gwaith dosbarth.
4. Mae siop Aldo cyn rated â'r archfarchnad.
5. Fydd y tywydd eleni ddim mor syched â'r tywydd y llynedd.
6. Dydy hi ddim wedi bwrw cyn gymaint eleni.
7. Dydy'r ffilm ddim hanner mor gystal â'r llyfr.
8. Roedd y ferch mor fached â'i mam.

Newidiwch ffurfiau cwmpasog yr ansoddeiriau hyn yn ffurfiau cryno:
1. Mae'r ganrif hon mor wlyb â'r ganrif ddiwethaf.
2. Bydd y tywydd mor boeth â'r haf.
3. Roedd y gwanwyn mor fyr â'r gaeaf.
4. Dydy'r hinsawdd ddim mor oer ag y buodd.
5. Doedd y tymheredd ddim mor isel â ddoe.
6. Dydy'r Wyddfa ddim mor uchel â'r Alpau.
7. Ydy Affrica mor boeth ag India?
8. Mae'r haf yng Nghymru mor fyr â'r gaeaf yn Awstralia.

Ansoddeiriau Cam 13
Cyfieithwch y brawddegau hyn:
1. Is Cader Idris higher than Pumlumon?
2. Harlech castle is smaller than Caernarfon, but it is prettier.

3. She's wiser than her brother.
4. Of the two towns, Pwllheli is the prettier.
5. He was a better poet than his father.
6. The river was much wider near the sea.
7. Newport is lower than Pontypridd in the league.
8. Hungarian wine is redder and drier than French wine.

Newidiwch ffurfiau cwmpasog yr ansoddeiriau yn ffurfiau cryno:
1. Mae'r wlad yn fwy iach na'r dref.
2. Ydy Caerdydd yn fwy pert na Wrecsam?
3. Mae Blaenau Ffestiniog yn fwy gwlyb na Chasnewydd.
4. Mae ceffyl yn gallu rhedeg yn fwy cyflym na chi.
5. Mae hi'n fwy rhad teithio ar y bws.
6. Roedd wyneb y ferch yn fwy gwyn na phapur.
7. Roedd y bachgen yn fwy ifanc na'i chwaer.
8. Roedd y nos yn fwy du na bola buwch.

Ansoddeiriau Cam 14
Newidiwch ffurfiau cwmpasog yr ansoddeiriau yn ffurfiau cryno:
1. Yr Wyddfa yw'r mynydd mwyaf uchel yng Nghymru.
2. Beth yw'r ffordd fwyaf hawdd o ddysgu Cymraeg?
3. Prynais i'r dillad mwyaf drud yn y siop.
4. Pa un yw'r bryn mwyaf isel?
5. Neithiwr oedd noson fwyaf tywyll y gaeaf.
6. Mae hi'n tyfu'r tomatos mwyaf coch yn yr ardal.
7. Fy nhad-cu yw'r person mwyaf hen yn y gogledd.
8. Dydy ei char hi ddim yn un o'r mwyaf cyflym.

Rhowch ansoddair addas yn y bylchau. Dewiswch o blith y rhain:
hynaf, uchaf, cyntaf, gorau, gwlypaf, nesaf, gwaethaf, sychaf
1. Yr Wyddfa yw'r mynydd _____ yng Nghymru.
2. Methwsela yw'r person _____ yn y Beibl.
3. Gwnaeth hi ei _____ glas dros ei mam.
4. Y _____ i'r felin gaiff falu.
5. Mis Tachwedd yw mis _____ y flwyddyn.

6. Mis Mehefin yw'r mis _____ , fel arfer.
7. Er _____ popeth, fe basiodd hi'r arholiad.
8. Dydw i ddim yn hoff iawn o bobl drws _____ .

Cyfieithwch y brawddegau hyn:
1. She was far better than her brother at school.
2. They worked harder today than yesterday.
3. He is clearly the better of the two candidates.
4. Whatever they think of it, they will have to do the work.
5. The more people are here, the more food we will have to cook.
6. However careful we are, we'll always make mistakes.
7. Gwynfor Evans was the greatest Welshman of the twentieth century.
8. It's much better to stay at home if you're ill.

Ansoddeiriau Cam 15
Cyfieithwch y brawddegau hyn:
1. The more people who hunt, the more danger there is to animals.
2. The greater the danger, the more he likes climbing.
3. The more people who buy in the shop, the least expensive will be the clothes.
4. The more often I see the film, the more I like it.
5. The sooner the better he does the work.
6. Whichever way you look at it, it doesn't make sense.
7. The sooner you drink, the quicker we can leave.
8. However expensive it is, I'm going to buy it.

Rhowch yr ymadroddion hyn yn y bylchau:
gorau oll, po fwyaf, beth bynnag, pa faint bynnag, pa mor, po leiaf, lle bynnag, pryd bynnag
1. _____ rydw i'n mynd i'r gwely, rydw i'n blino wrth godi.
2. Gorau _____ o bobl fydd yn dod i'r parti.
3. Po fwyaf rydw i'n ymarfer, _____ rydw i'n chwarae.
4. Rydw i am brynu hwn, _____ yw'r pris.

5. _____ ddrud bynnag ydy e, mae hi am ei gael.
6. Gorau _____ rydw i'n clywed amdanyn nhw.
7. Mae'r wlad yn braf, _____ rydych chi'n mynd.
8. Mae hi mor oer, byddwch chi'n rhewi _____ byddwch chi'n
   ei wisgo.

Enwau Cam I
Rhowch y geiriau hyn ar ôl un o'r ddau air isod:

y, yr
1. mam yng nghyfraith
2. gast
3. mam-gu
4. cefnder
5. cwrcyn
6. cyfnither
7. tarw
8. cath
9. gardd
10. hwch
11. dafad
12. buwch
13. mochyn
14. chwaer
15. brawd
16. modryb

Cywirwch y brawddegau hyn:
1. Mae dau chwaer ac un brawd gen i.
2. Mae tri ci a dwy gath yn y tŷ.
3. Mae dau ystafell wely yn ein tŷ ni.
4. Dim ond un long oedd ar y môr.
5. Rydyn ni'n chwilio am dŷ gyda thri ystafell.
6. Roedd y ddwy merch wedi gadael y tŷ.
7. Mae un merch ac un mab ganddyn nhw.
8. Dydyn ni ddim wedi gweld y menyw lanhau.

Enwau Cam 2

Cyfieithwch y brawddegau hyn:

1. The people are working hard.
2. The librarian has read a few books.
3. She's the chairman of the committee.
4. Have you had a receipt?
5. Do you understand the new technology?
6. I can use a computer, but I can't type.
7. Has the service started?
8. What is the difference between the two jobs?

Newidiwch yr enwau yn y brawddegau hyn yn rhai benywaidd:

1. Mae'r cyfreithiwr yn gweithio'n galed.
2. Ydych chi'n nabod yr awdur?
3. Neidiodd y llew arno fe.
4. Mae un Sais ac un Cymro yma.
5. Athro ydw i – beth ydych chi?
6. Roedd Ceri'n ysgrifennydd yn yr ysgol.
7. Pan fydda i wedi gorffen yn y coleg, fi fydd organydd y capel.
8. Mae bywyd myfyriwr yn fywyd caled.

Enwau Cam 3

Cyfieithwch y brawddegau hyn:

1. They had pleasant dreams.
2. The wives went on holiday.
3. We saw rivers, lakes and mountains.
4. The computers did not work.
5. The examinations are starting in a month.
6. There were miles of roads.
7. The English couldn't speak Spanish.
8. The mansion had lovely gardens.

Newidiwch yr enwau yn y brawddegau hyn i'r lluosog:

1. Ces i freuddwyd ddymunol neithiwr.
2. Roedd arwydd ar y wal.

3. Mae actor amatur yn actio heno.
4. Er mwyn osgoi cawod drom aethon ni adre.
5. Cerddais i am filltir cyn cyrraedd y cwm.
6. Roedd ei mab yn cofio ati hi.
7. Mae'r coleg yn cau'n gynnar eleni.
8. Mae hi wedi gorffen y traethawd o'r diwedd.

Enwau Cam 4

Newidiwch yr enwau yn y brawddegau hyn i'r lluosog:

1. Roedd arddangosfa ardderchog yn yr amgueddfa ym Mharis.
2. Aeth yr ymgeisydd o gwmpas yr ysbyty.
3. Mae gwesty, llyfrgell a phwll nofio yng Nghaernarfon.
4. Eisteddai'r cardotyn ym mynedfa'r adeilad.
5. Enillodd cefnder y bardd y brif wobr.
6. Fe brynon ni fuwch a tharw – yn y gobaith o gael llo.
7. Roedd llythyr ym mhoced y postmon.
8. Mae angen hoelen i roi'r pren ar y postyn.

Cywirwch y brawddegau hyn:

1. Roedden nhw wedi cyrraedd y swyddfaoedd yn gynnar.
2. Ydy'r cyllellau a'r fforcau ar y bwrdd?
3. Maen nhw'n mynd i adeiladu pump o ysbytyau newydd.
4. Roedd y coed yn llawn deilennau gwyrdd.
5. Mae hi wedi pobi chwech o dyrth.
6. Mae gyrrwyr bysys ar streic heddiw.
7. Maen nhw'n aros yn y gwestau ger y môr.
8. Roedd llawer o bwllau glo yn y Rhondda.

Enwau Cam 5

Cyfieithwch y brawddegau hyn:

1. I have written many letters to the councils.
2. They have started Welsh classes in the factories.
3. The hotels serve good meals.
4. The languages of the Greeks and Romans are still living.
5. There were loads of waste paper in the printing presses.

6. Floods occur many times during the year.
7. At times the notes were sung too loudly.
8. After many attempts, they scored tries.

Cywirwch y brawddegau hyn:
1. Doedd hi ddim yn hoffi canu'r nodiadau uchel.
2. Mae rhaid bwyta prydiau twym yn y gaeaf.
3. Rhoddodd hi lawer o gynghorau i fi.
4. Roedd y pwysi gwaith yn fawr.
5. Mae bywyd yn galed ar lwythi Affrica.
6. Mae'n well gwneud nodau cyn ysgrifennu traethawd.
7. Roedd y wlad yn braf, a choed ar y bronnau.
8. Rydw i wedi prynu chwech o bwysau o afalau.

Enwau Cam 6

**Rhowch enwau addas yn y bylchau. Dewiswch o blith y rhain:
torthau, pwysi, pentyrrau, tuniau, pacedi, poteli, sacheidiau,
biniau**
1. Prynais i _____ o win.
2. Roedd hi wedi pobi _____ o fara.
3. Roedd _____ o fenyn yn yr oergell.
4. Rydyn ni'n agor _____ o ffa i swper bob nos.
5. Mae'r _____ o siwgr ar y silff uchaf.
6. Roedd _____ o lo o flaen siop y garej.
7. Mae _____ o lyfrau ar fwrdd y llyfrgell.
8. Mae'r _____ sbwriel yn cael eu casglu bob dydd Llun.

Cyfieithwch y brawddegau hyn:
1. Tons of food are being sent to Sudan.
2. Europe has mountains of butter and lakes of wine.
3. I hate eating cabbage and carrots.
4. There was famine in the country after the drought.
5. She felt joy and sadness at the same time.
6. The weather changes suddenly from heat to cold.
7. We're having potatoes, peas, beans and meat for dinner.
8. She made plum and strawberry jam.

Enwau Cam 7

Rhowch wrthwyneb yr enwau hyn:

1. y tlawd
2. yr amharchus
3. y gwych
4. y melys
5. y drwg
6. y doeth
7. yr ifanc
8. yr afiach

Rhowch enwau lluosog addas yn y bylchau. Dewiswch o blith y rhain:

gweiniaid, meirwon, enwogion, cyfoethogion, deillion, duon, goreuon, tlodion

1. Y _____ sy'n berchen y rhan fwyaf o dir y wlad.
2. Mae'r _____ yn byw mewn tai pren ar ymyl y ddinas.
3. Doedd dim llawer o hawliau gan y _____ yn Ne Affrica.
4. "Gwlad beirdd a chantorion, _____ o fri".
5. Mae gan y _____ gŵn i'w helpu nhw ar strydoedd y dref.
6. Mae Gwenallt yn sôn am bobl oedd wedi dioddef yn ei gerdd "Y _____".
7. Ar ôl cael y marciau uchaf, Huw a Jac oedd y _____ .
8. Derbyniodd yr ysbyty'r _____ .

Enwau Cam 8

Dywedwch beth yw swyddogaeth y geiriau sydd wedi'u tanlinellu:

e.e. goddrych, gwrthrych, ansoddair, genidol

1. <u>Ymarfer</u> yw'r peth pwysig cyn arholiad.
2. Mae e'n casáu <u>coginio</u>.
3. Doedd dim papur <u>ysgrifennu</u> ar ôl yn y tŷ.
4. Dyma gopi o raglen <u>y dathlu</u>.
5. Ydych chi'n aelod o'r pwyllgor <u>penodi</u>?
6. <u>Cerdded</u> yw'r math gorau o ymarfer.
7. Maen nhw'n hoffi <u>bwyta bwyd Indiaidd</u>.
8. Ydych chi wedi clywed canlyniad <u>y cystadlu</u>?

Ffurfiwch ferfenwau o'r enwau hyn:

1. cwsg
2. cystadleuaeth
3. gwên
4. taith
5. blodyn
6. dŵr
7. rheol
8. gorchymyn
9. gofid
10. pryder
11. trefn

Enwau Cam 9

Cysylltwch eiriau'r golofn chwith â'r rhai yn y golofn dde:

1. strydoedd   pobl ddigartref
2. Senedd   cartref
3. Prifysgol   y nos
4. Eglwys   eliffant
5. tlodi   y ddinas
6. gwaith   Ewrop
7. tywyllwch   Cymru
8. croen   y Santes Fair

Llanwch y bylchau yn y brawddegau ag un o'r geiriau hyn: siopau, lloches, cam-drin, gwehilion, diweithdra, dioddef, ymdrechion, cynghorau

1. Mae angen _____ ar y digartref.
2. Mae rhai'n credu mai _____ cymdeithas yw'r digartref.
3. Yn anffodus, mae _____ plant wedi mynd yn gyffredin.
4. Mae rhai _____ tref yn darparu adeilad arbennig i'r digartef.
5. Ydy _____ yn broblem fawr yn eich ardal chi?
6. Mae llawer yn gorfod cysgu yn nrysau _____ .
7. Dydy ystadegau ddim bob amser yn datgelu maint y _____
8. Er gwaethaf _____ mudiadau gwirfoddol, mae'r broblem yn parhau.

Enwau Cam 10

Cyfieithwch y brawddegau hyn:

1. After the closure of the factory, the town council tried to do something.
2. The band's new record was played in the television programme.
3. Do you want to spend the rest of your life in an old people's home?
4. Are the countries of Europe trying to help the countries of the third world?
5. The team's hope was to win the world cup.
6. Youth is wasted on the young.
7. The teaching of Welsh should be compulsory in the west of England.
8. The disabled and the aged should have more shopping facilities.

Rhowch ymadroddion dau air am y canlynol:

1. siop fawr sy'n gwerthu pob math o bethau
2. adeilad dan do sy'n cynnwys llawer o siopau bach
3. adeilad sy'n dangos lluniau a cherfluniau
4. lle rydych chi'n gallu mynd iddo i chwilio am waith
5. yr enw cyffredinol ar system bysiau a threnau
6. y lefel isaf o lysoedd
7. sgwâr i barcio ceir
8. arian sy'n cael ei dalu i'r llywodraeth ar enillion

Enwau Cam 11

Cyfieithwch y brawddegau hyn:

1. What is 'milk' in south-walian Welsh?
2. What is 'grand-mother' in north-walian Welsh?
3. Welsh is one of the small languages of Europe.
4. There are around thirty-five small languages in Europe, including Basque, Irish and Catalan.
5. More people speak Catalan than Danish and Norwegian.

6. There are good stories about the Welsh, the English and the Irish..
7. Why are stories about the Irish so simple? So that the English can understand them.
8. We visited Germay, Switzerland and Italy this year.

Cywirwch y brawddegau hyn:
1. Mae llawer o Saison yn byw yng nghefn gwlad Cymru.
2. Mae rhaid i bawb astudio Frangeg yn ein hysgol ni.
3. Beth yw hynny yng Nghymraeg? Mêl?
4. Beth yw 'nain' yn Gymraeg y de? Naw?
5. Roedd y nofel wedi ei hysgrifennu yn Gymraeg da.
6. Rydych chi'n siarad Cymraeg dda iawn.
7. Dysgodd y myfyrwyr Cymraeg mewn mis.
8. Ydych chi wedi bod yng ngwersyll yr Urdd ym Mala?

Enwau Cam 12
Cywirwch y brawddegau hyn:
1. Dywedodd yr Arlywydd America ei fod yn mynd i ymddeol.
2. Beth yw 'llefrith' mewn Saesneg y de?
3. Ydych chi wedi clywed am dywysog Llywelyn yr ail?
4. Beth yw eich barn chi am yr ysgrifennydd y cynulliad?
5. Annwyl yr Arglwydd Elvis-Thomas, Diolch am eich llythyr…
6. Mae'r senedd yr Alban yng Nghaeredin.
7. Roedd yr Esgob Bangor yn siarad yn y neuadd.
8. Mae'r afon Tawe a'r afon Taf yn llifo i'r Môr Hafren.

Cyfieithwch y brawddegau hyn:
1. I saw the Bishop of Bangor this morning.
2. We're writing to Councillor Jones.
3. Was Glyndŵr the last Prince of Wales?
4. Here's Professor Williams – he wrote the book on Welsh history.
5. Who is our Assembly Member?

6. I've met the First Secretary of the Assembly.
7. She's working for the University of Wales Press.
8. She is the captain of the Welsh rugby team.

Rhagenwau Cam I

Rhowch ragenw addas yn y bylchau hyn:
1. Rydyn _____ 'n yfed coffi.
2. Maen _____ eisiau dod gyda ni.
3. Dydw _____ ddim yn hoffi te cryf.
4. _____ ydy'r athrawes.
5. _____ ydy'r chwaraewr gorau.
6. Rwyt _____ 'n lwcus iawn.
7. Ydych _____ eisiau cael cwpaned arall?
8. Wyt ti'n ei ddysgu _____?

Cywirwch y brawddegau hyn:
1. Mae nhw'n codi'n gynnar.
2. Mae e'n braf iawn heddiw.
3. Ydy e'n naw o'r gloch?
4. Rydyn nhw'n hoffi llawer o siwgr.
5. Mae chi'n gorffen y gwaith yn gynnar heddiw.
6. Fi sy'n capten y tîm criced eleni.
7. Rydy e'n dechrau cysgu o'r diwedd.
8. E yw'r gorau yn y dosbarth.

Rhagenwau Cam 2

Treiglwch y geiriau rhwng [ ] yn y brawddegau hyn:
1. Mae fy [tad-cu]'n dod o'r Rhondda.
2. Mae fy [brawd] yn gweithio mewn swyddfa.
3. Ydych chi'n nabod fy [tad]?
4. Rydw i'n nabod dy [mam-gu] di.
5. Rydw i'n gweld ei [tad] hi bob dydd.
6. Mae dy [brawd] di'n gweithio gyda fi.
7. Ble mae dy [cefnder] di'n byw?
8. Rydw i'n gweld ei [mab] e yn yr ysgol.

9. Ydy dy [cyfnither] di'n dod i de?
10. Ydych chi nabod ei [ewythr] hi?

Cyfieithwch y brawddegau hyn:
1. Do you know her father?
2. Have you met his cousin?
3. This is my wife.
4. Where is your brother tonight?
5. I saw his mother last night.
6. Her family comes from Cornwall.
7. I met their uncle in town.
8. I hope my husband is listening.

Rhagenwau Cam 3

Rhowch ragenw yn lle enw yn y brawddegau hyn:
e.e. Mae Mr Bakir yn gwerthu'r ddesg. Mae e'n ei gwerthu hi.
1. Mae Mrs Jones yn gwerthu'r llyfrau.
2. Mae Mrs Evans wedi talu'r dyn.
3. Roedd hi'n darllen y papur.
4. Maen nhw'n gweld y ferch bob dydd.
5. Fe fyddan nhw'n prynu papur newydd bob bore Sadwrn.
6. Mae e'n moyn prynu'r gadair.
7. Roedden ni wedi gwerthu lamp, desg a ffilmiau.
8. Dydyn ni ddim yn gwerthu'r car.
9. Mae Mr Thomas yn talu'r plant.
10. Dydy e ddim wedi gwerthu'r lamp.

Cywirwch y brawddegau hyn:
1. Maen nhw'n fy talu i.
2. Roedd e wedi ei thalu e.
3. Rydyn ni'n gobeithio ei talu nhw.
4. Bydda i'n ei dalu hi yfory.
5. Roedden nhw wedi ei werthu hi.
6. Dydyn nhw ddim yn ei gwerthu e heddiw.
7. Dydw i ddim eisiau ei dalu hi.
8. Rydych chi wedi ei phrynu e'n rhad.

Rhagenwau Cam 4

Cyfieithwch y brawddegau hyn:

1. I know that they live in north Wales.
2. Have you heard that she's leaving?
3. We hope that he's coming home.
4. Do you think that they're doing enough?
5. I believe that they're not making an attempt.
6. They know that I don't like living here.
7. She hopes that I'm going to get the money.
8. They think that we're working too much.

Llanwch y bylchau â geiriau addas:

1. Ydych chi wedi clywed _____ ni'n mynd heno?
2. Mae hi'n credu _____ e wedi gorffen.
3. Rydw i'n gobeithio _____ hi ddim wedi gadael.
4. Maen nhw'n gwybod _____ i ddim wedi yfed neithiwr.
5. Rydw i'n siŵr _____ chi wedi gweld hyn o'r blaen.
6. Ydych chi'n credu _____ nhw'n rhy ddrud?
7. Roedden nhw'n gobeithio _____ nhw'n mynd i ennill.
8. Oeddech chi'n gwybod _____ e ddim yn y tîm?

Rhagenwau Cam 5

Rhowch ragenw mewnol yn y bylchau, a threiglwch os oes angen:

1. Rydw i wedi dod â _____ camera.
2. Rydw i a _____ brawd wedi colli'r tocyn.
3. Rwyt ti a _____ mam wedi chwilio.
4. Mae e wedi rhoi'r llyfr i _____ tad.
5. Mae hi eisiau diolch i _____ rhieni.
6. Rydyn ni'n mynd i _____ ysgol.
7. Rydych chi wedi dod o _____ ysgol.
8. Maen nhw wedi mynd i _____ gwely.
9. Mae Siân yn mynd i'r dref efo _____ tad.
10. Mae Huw'n cerdded adre gyda _____ tad-cu.

Cyfieithwch y brawddegau hyn:
1. Talk to your father about it!
2. Bring my coat and my bag!
3. I don't believe her.
4. Do you answer them every time?
5. I've seen them do that before.
6. I hope that you've seen it in my garden.
7. We saw her working in her house.
8. I don't think that I've read it.

Rhagenwau Cam 6
Gofynnwch gwestiynau i gael yr atebion hyn:
1. Mae e'n yfed coffi.
2. Maen nhw'n bwyta tri chwrs.
3. Roedd dwy weinyddes yma.
4. Daw'r bil ar unwaith, syr.
5. Roedden nhw'n bwyta dair gwaith y dydd.
6. Roedd hi'n bwyta selsig.
7. Rydw i wedi bod yma unwaith o'r blaen.
8. Hen gawl diflas yw e.

Cywirwch y brawddegau hyn:
1. Sawl cwpan ydy ar y silff?
2. Faint o fara mae e'n bwyta?
3. Sut brecwast gawsoch chi heddiw?
4. Beth ydy hi'n ei yfed i frecwast?
5. Sawl platiau sydd ar y bwrdd?
6. Beth roedd e'n siarad am?
7. Pa liw maen nhw?
8. Sut ydyn nhw'n gwybod?

Rhagenwau 7
Cyfieithwch y brawddegau hyn:
1. I understand these, but those verbs are impossible.
2. Did you learn this this week?
3. What's that in Welsh?

4. What's the meaning of that proverb?
5. From now on, I'm going to start taking these.
6. At the moment, I'm having difficulty with these pronouns.
7. This one was easy but that one is more difficult.
8. Have you seen those mutations before?

Rhowch air neu eiriau addas yn y bylchau. Dewiswch o blith y rhain:
honno, oherwydd hynny, hynny, rhain, y rheini, hwnnw, ar hyn o bryd, erbyn hynny

1. Ydych chi'n nabod y ferch _____ .
2. Mae'r _____ yn edrych yn ddeniadol.
3. Roedd hi'n rhy hwyr _____ .
4. Aeth hi'n gynnar, ac _____ mae tipyn o amser gen i.
5. Rydw i wedi gweld y bachgen _____ o'r blaen.
6. Dydw i ddim eisiau gweithio _____ .
7. Mae _____'n wir.
8. Rydw i wedi gweld _____ o'r blaen.

Rhagenwau Cam 8
Rhowch ragenwau dwbl yn y brawddegau hyn:
1. [hi] sydd ar fai.
2. [ni] yw'r pencampwyr.
3. [nhw] ydy'r lladron.
4. [hi] sy wedi colli'r tocynnau.
5. [nhw] sy heb wneud y gwaith.
6. [fe] sydd wedi mynd â'r bwyd.
7. [chi] sy wedi bod yn diogi.
8. [ti] sydd wedi gwneud y cawl.

Cyfieithwch y brawddegau hyn gan ddefnyddio rhagenwau dwbl:
1. You were at it [as well].
2. And what about you?
3. He [also] has been in jail.
4. I will have to go [as well].

5. She was there [as well].
6. I went to Cardiff, and he to Swansea.
7. We [also] will have to leave.
8. Will you have to stay [as well]?

Rhagenwau 9

Cyfieithwch y brawddegau hyn:
1. They played against each other before the game.
2. We were shouting at each other after the goal was scored.
3. Are you talking to each other now?
4. I couldn't believe myself.
5. They persuaded themselves that they could play rugby.
6. We helped ourselves to the food.
7. She had locked herself in the kitchen.
8. After they had scored they kissed each other.

Cywirwch y brawddegau hyn:
1. Chwaraeon nhw yn erbyn eu gilydd.
2. Mae e'n ceisio eu wella'i hunain trwy weithio'n galed.
3. Roedden nhw eisiau eu mwynhau ei hunan ar y traeth.
4. Roedden ni'n chwarae gyda'i gilydd yn y parc.
5. Gwelais i nhw'n cystadlu yn erbyn eu gilydd.
6. Peidiwch â gweiddi ar ei gilydd!
7. Roedd y ddau yn y gornel yn cusanu'n gilydd.
8. Rhaid i chi wynebu ei gilydd ryw ddiwrnod.

Rhagenwau Cam 10

Rhowch ymadrodd addas yn y bylchau. Dewiswch o blith y rhain:
pob un, dyn, rheini, unman, pa un, un yma, dim un, un peth
1. Roedd _____ yn arfer credu bod gwersylla'n ddymunol.
2. _____ o'r disgyblion sydd wedi gorffen ei waith?
3. Mae _____ wedi gorffen.
4. Does _____ ar ôl.
5. Ewch â'r _____ – mae'n well na'r lleill.
6. Fe brynais i'r llyfr yma ddoe – ond mae e'r _____ â'r llall.

7. Doedd y tocyn ddim i'w weld yn _____ .
8. Mae'r rhain yn iawn, ond mae'r _____ 'n well.

Cyfieithwch y brawddegau hyn:
1. Which of these is best?
2. I think that they are all the same.
3. Are you talking about these or those?
4. One would think that they were all sleeping.
5. Some of them are climbing tomorrow.
6. Some children go there every year.
7. I have been there once.
8. I cannot see it anywhere.

Rhagenwau Cam 11
Cywirwch y brawddegau hyn:
1. Bydda i'n gwella rhyw ddiwrnod.
2. Dydw i ddim yn hoffi hyn rhyw lawer.
3. Mae rhywbeth fawr o'i le arno fe.
4. Dywedodd rywun fod afalau'n dda.
5. Wnaiff unrhyw foddion y tro?
6. Mae e wedi rhoi'r pils i ryw deg o bobl.
7. Mae sawl pethau i'w gwneud.
8. Sawl meddygon sy wedi galw?

Cyfieithwch y brawddegau hyn:
1. Can anyone help?
2. Have you heard anything?
3. There's something strange about her.
4. He gave me some nasty pills.
5. How many beds are there in the ward?
6. There are several things missing.
7. Is there any hope left?
8. Someone should look after him.

Rhagenwau Cam 12

Cyfieithwch y brawddegau hyn:

1. There are far too many people in the class.
2. How many non-Welsh speakers send their children to the school?
3. Are there many Welsh schools in the area?
4. A pound of potatoes and some broccoli please.
5. Some of the class knew the work, but the remainder of the pupils didn't.
6. I have quite enough homework tonight.
7. Very few people learn French well in school.
8. There are a number of things one must know about mutations.

Cywirwch y brawddegau hyn:

1. Does dim lawer o ddosbarthiadau Cymraeg yn Llundain.
2. Roedd llawer digwyddiadau'n cael eu cynnal yn y pentref.
3. Bydd llawer iawn dysgwyr yn mynd i'r eisteddfod.
4. Mae sawl dysgwyr yn mynd ymlaen i'r coleg.
5. Roedd llawer gormod o Sais yn byw yn y pentref.
6. Does dim rhywun yn mynd i'r dosbarth.
7. Mae hen ddigon pobl yn y coleg erbyn hyn.
8. Faint mewnfudwyr sydd yn eich ardal chi?

Rhagenwau Cam 13

Cyfieithwch y brawddegau hyn:

1. I look at all the books every day.
2. I had no idea that they were completely wrong.
3. Everyone else had finished all the work perfectly.
4. There's nothing important in the paper – it's all gossip.
5. They spent all their money on food – there's none left for saving.
6. This is the bank that offers the highest interest of all.
7. We gradually became poorer each year.
8. None of us had heard that we were all out of a job.

Cywirwch y brawddegau hyn:
1. Mae neb yn gwybod beth sy'n digwydd.
2. Roedd yr oll arian wedi diflannu.
3. Ble mae i gyd o'r llyfrau wedi mynd?
4. Roedd dim byd ar y ddesg.
5. Collodd Huw ei oll arian yn y fenter.
6. Mae'r wlad holl mewn trafferthion economaidd.
7. Bydd oll weithwyr y banc yn mynd ar streic.
8. Roedd yr holl wlad i gyd yn poeni am y sefyllfa.

Rhowch y geiriau hyn yn y bylchau:
holl, oll, pob dim, pawb, pob un, neb, cyfan, yn gyfan gwbl, hollol, wedi'r cwbl, i gyd, dyma
1. Does _____ yn fy nghredu.
2. Bydda i yma yn y gell am yr _____ fisoedd nesaf, _____ ar fy mhen fy hun, a hyn _____ am fod fy ffrind wedi dweud celwydd.
3. Mae'r sefyllfa'n _____ annheg.
4. Rwy'n teimlo bod _____ yn fy erbyn i.
5. _____ , roedd _____ oedd wedi fy ngweld y diwrnod hwnnw wedi dweud imi dreulio'r dydd _____ yn y caffe.
6. Erbyn hyn mae'r _____ drosodd.
7. Rydw i wedi gwneud _____ i ddod yn rhydd.
8. Fe gollais i'r achos yn y llys, a _____ fi.

Rhagenwau Cam 14
Cyfieithwch y brawddegau hyn:
1. On the one hand it is convenient, but on the other hand it is unnecessary.
2. Neither one nor the other taught Spanish.
3. Between one thing and another they failed their exams.
4. The others listened while some of them worked.
5. Both lecturers taught both subjects.
6. Neither of the colleges taught German.
7. One teaches physics but the other teaches mathematics as well.
8. The other colleges specialise in economics.

Rhowch ymadrodd cywir yn y bylchau. Dewiswch o blith y rhain:

llall, ar y llaw arall, lleill, ill, ddau, eraill, naill ai, naill

1. Ar y naill law mae'r coleg yn boblogaidd, ond _____ mae'n bell i ffwrdd.
2. Dydw i ddim yn nabod y _____ ddarlithydd na'r llall.
3. Maen nhw _____ dau yn gwneud yr un cwrs.
4. Roedd y _____ ohonyn nhw'n bwriadu mynd i Fangor.
5. Dydw i ddim wedi clywed am y naill goleg na'r _____ .
6. Mae'r cwrs _____ 'n anodd, neu rydw i'n dwp.
7. Ydych chi chi wedi gweld y myfyrwyr _____ ?
8. Rydw i wedi gweld y _____ i gyd.

Adferfau Cam 1

Cyfieithwch y brawddegau hyn:

1. The patient feels awful.
2. The old man is getting better slowly.
3. The doctor doesn't get up early.
4. The nurse is not working quickly.
5. The young man is smiling happily.
6. They're looking tired.
7. She isn't looking well.
8. The doctor is working hard.

Rhowch eiriau addas yn y bylchau, a threiglwch lle mae angen. Dewiswch o blith y rhain:

rhyfeddol, cyfoethog, blinedig, cynnar, tawel, llon, cyflym, da

1. Roedd y claf wedi gwella'n _____ .
2. Ar ôl methu â chysgu, roedd e'n edrych yn _____ iawn.
3. Roedd e'n _____ ar ôl ennill y loteri.
4. Dydy hi ddim yn edrych yn _____ ar ôl cael y salwch.
5. Maen nhw wedi codi'n _____ i weld y wawr.
6. Mae'r plant yn cysgu'n _____ , diolch byth.
7. Mae hi wedi ennill y ras ar ôl rhedeg yn _____ .
8. Roedd y baban yn gwenu'n _____ trwy'r dydd.

Adferfau Cam 2

Rhowch adferau addas yn y bylchau:

1. Mae'r tegell wedi berwi'n _____ .
2. Yn anffodus, maen nhw wedi colli'r gêm yn _____ .
3. Mae hi'n bryd i mi siarad yn blwmp ac yn _____ .
4. Mae rhaid i chi ystyried y peth yn _____ .
5. Rydw i'n cytuno'n _____ â chi.
6. Maen nhw wedi blino'n _____ ar ôl gweithio.
7. Roedd y tŷ wedi llosgi'n _____ .
8. Mae angen paratoi'n _____ cyn yr arholiad.

Cyfieithwch y brawddegau hyn:

1. You have to listen attentively to the doctor.
2. If you score more points, you are going to win easily.
3. We have to work hard in the ward.
4. The patients are all sleeping soundly.
5. The nurse agrees completely with the doctor.
6. She's giving too many tablets to the patient.
7. He was tired out after working all day.
8. The food has burnt to a cinder.

Adferfau Cam 3

Rhowch eiriau addas yn y bylchau. Dewiswch o blith y rhain: bore yfory, wedyn, echdoe, erioed, bob amser, toc, eisoes, y llynedd

1. Maen nhw'n mynd i adael y cartref _____ .
2. Roedden nhw wedi cyrraedd _____ .
3. Mae hi'n galw gyda ni, _____ mae hi'n mynd atoch chi.
4. Mae hi yno ers amser – cafodd hi le yn y cartref _____ .
5. Ydych chi _____ wedi bod mewn cartref hen bobl?
6. Mae e _____ yn cymryd gofal mawr.
7. Ydy hi'n saith o'r gloch yn barod? Fe fyddan nhw yma _____ .
8. Mae e _____ wedi gorffen y gwaith, chwarae teg.

Cyfieithwch y brawddegau hyn:

1. They arrived last night.
2. Are we going to see the home tomorrow afternoon?
3. We haven't eaten this afternoon.
4. She has already left the house.
5. Has he ever visited his uncle in hospital?
6. You're never going to get better.
7. She is better this year than last year.
8. We no longer work there.

Adferfau Cam 4

Rhowch eiriau addas yn y bylchau. Dewiswch o blith y rhain:
gartref, i ryw raddau, bob yn ddau, ymaith, i gyd, gyferbyn,
cynddrwg, adref

1. Ydy Mrs Evans _____ , os gwelwch yn dda?
2. Mae hi'n gallu cerdded _____ ar ei phen ei hun.
3. Mae'n rhaid i blismyn gerdded _____ ar nos Sadwrn.
4. Rydw i wedi dod i fyw _____ â chi.
5. Er bod y bwyd wedi llosgi, dydy'r blas ddim _____ .
6. Mae'r clefyd wedi gwella, _____ .
7. Fe aeth e _____ heb ddweud dim.
8. Ydych chi wedi bwyta'r bwyd _____ ?

Cyfieithwch y brawddegau hyn:
1. The weather isn't looking so bad today.
2. You have to take the tablets three at a time.
3. The programme was over before they had put the television on.
4. We stayed at home during the holidays.
5. I don't like the picture, well not as much as that.
6. Have you been away this year?
7. I feel much better after taking the medicine.
8. Did you see the books? They were underneath.

Adferfau Cam 5

Cyfieithwch y brawddegau hyn:
1. Unfortunately, they won the game easily.
2. She stayed at home, although it was fine yesterday afternoon.
3. We went home early because we were tired out.
4. Listen carefully, and you'll probably be able to finish the work.
5. I feel awful although I look better.
6. The doctor had never seen these symptoms before.
7. Having prepared thoroughly, the students passed easily.
8. As far as I know, it's still raining heavily.

Rhowch ymadroddion Cymraeg addas am y rhai rhwng [ ]:

1. Dydyn nhw ddim yn gwaethygu [in any case].
2. Dydw i ddim yn credu bod dim o'i le arni hi, [personally].
3. Clefyd y gwair sydd arnoch chi [probably].
4. Mae'r clefyd yn ddifrifol [unfortunately].
5. Roedd y nyrs wedi gwneud ei gorau [fair play].
6. Mae'r gwaith ar fin dod i ben, wel [more or less].
7. [As a matter of fact], does dim syniad gen i.
8. Bydd hi'n gwella [eventually].

Adferfau Cam 6

Rhowch ymadroddion addas yn y bylchau. Dewiswch o blith y rhain:

ac eithrio, eto i gyd, ar y cyfan, yn y cyfamser, chwaith, gyda llaw, fel rheol, mwyach

1. Rydw i'n hoffi'r bwyd, _____ 'r cig moch.
2. Mae hi _____ yn cyrraedd y gwaith yn gynnar.
3. Mae'r gwaith wedi ei wneud yn eitha da, _____ .
4. Roeddwn i ar wyliau, ac _____ fe wnaeth hi gawl o bopeth.
5. Roedd hi'n dda yn y cyfweliad, _____ doeddwn i ddim yn siŵr a oedd hi'n haeddu'r swydd.
6. _____ , beth yw ei henw cyntaf hi?
7. Dydyn nhw byth yn dod yma _____ .
8. Dydw i ddim wedi gweld y papur, na'r llythyr _____ .

Cyfieithwch y brawddegau hyn:

1. Does he usually arrive early?
2. I want to have at least one good result.
3. I have only four envelopes left.
4. I like everything except typing.
5. In spite of that, I hope to get the job.
6. I'm late at least once a week.
7. Do you as a rule do the word processing in your office?
8. On the whole, I like going to work.

Adferfau Cam 7
Cyfieithwch y brawddegau hyn:
1. She isn't half well.
2. The train arrived fairly late.
3. They left far too late.
4. Although the plane was comparatively full, we had enough room.
5. It was quite late, but the hall wasn't a quarter full.
6. It's far too late to say if it's safe enough.
7. The food was really good – we're most thankful.
8. Because the train was a little late we missed the connection.

Cyfieithwch y brawddegau hyn:
1. I got up far too early.
2. I went by taxi because I was a little late.
3. The train was extremely late.
4. We missed the boat because it left too early.
5. It was fairly late so we went before it was too dark.
6. You're quite right: the train was rather slow.
7. It was quite early in the morning, and the sun was rising very slowly.
8. The journey started very quickly, but the traffic was quite slow afterwards.

Rhifau Cam 1

Ysgrifennwch y rhifau rhwng [ ] mewn geiriau gan wneud unrhyw newid arall sy'n angenrheidiol:

1. Mae [2 + merch] wedi cael eu lladd heddiw mewn damwain rhwng [2 + trên] yng Nghasnewydd.
2. Mae [33 + pobl] wedi cael eu hanafu'n ddifrifol.
3. Mae [22 + dyn] a [6 + menyw] yn yr ysbyty.
4. Mae nifer y di-waith yng Nghymru wedi codi i [98,543].
5. Mae hyn [4,206] yn fwy na'r mis diwethaf.
6. Mae [2,304] o bobl wedi colli eu gwaith yn y diwydiant dur yn ystod y mis.
7. Mae Cynulliad Cymru'n gobeithio denu [5,500] o swyddi newydd i Gymru yn ystod y flwyddyn.
8. Mae adroddiad heddiw yn dweud bod [87] y cant o fyfyrwyr Cymru'n yfed gormod.

Rhowch eiriau am y canlyniadau rygbi hyn:

1. Llanelli 36   Pontypridd 16
2. Caerdydd 98   Wasps 24
3. Abertawe 53   Northampton 29
4. Harlequins 72   Sale 35
5. Castell-nedd 19   Casnewydd 15
6. Caerloyw 46   Caerfaddon 28
7. Glynebwy 23   Toulouse 17
8. Pen-y-bont 29   Toulon 18

Rhifau Cam 2

Rhowch amserau agor a chau y banc mewn geiriau:

1.	Llun	9.20 – 12.25	1.35 – 4.30
2.	Mawrth	9.15 – 12.20	1.25 – 4.40
3.	Mercher	10.20 – 12.50	1.50 – 4.35
4.	Iau	10.05 – 12.45	1.40 – 4.50

5.	Gwener	9.05 – 12.30	1.30 – 5.20
6.	Sadwrn	10.00 – 12.30	

Rhowch y symiau hyn mewn geiriau:
1. £1.83
2. £12.45
3. £18.31
4. £20.15
5. £17.20
6. £16.12
7. £25.50
8. £45.90

Rhifau Cam 3
Cyfieithwch y brawddegau hyn:
1. He's twelve years old.
2. I have been waiting for two years.
3. He was living here ten years ago.
4. It's five years since I was here.
5. How many people spoke Welsh twenty years ago?
6. He had to wait eleven years for an operation.
7. The wine is at least seven years old.
8. Where were you eighteen years ago?

Cywirwch y brawddegau hyn:
1. Roeddwn i yng Nghaerdydd pum mlwyddyn yn ôl.
2. Mae e'n byw yma ers naw blwyddyn.
3. Ydych chi'n gwybod ei bod hi'n saith mlwyddyn oed?
4. Daeth hi yma ugain mlwyddyn yn ôl.
5. Mae'r gwin yma tua chwe blynyddoedd oed.
6. Roedd e'n credu bod ei wraig yn un flwyddyn ar hugain oed.
7. Roedd hi'n pum mlynyddoedd oed pan aeth hi i'r ysgol.
8. Mae e'n dysgu yn yr ysgol ers deng mlwyddyn ar hugain.

Rhifau Cam 4
Ysgrifennwch y rhain:
1. $5\,{}^{7}/_{8}$
2. $6\,{}^{3}/_{4}$
3. $3\,{}^{4}/_{9}$
4. $10\,{}^{1}/_{7}$
5. $3\,{}^{1}/_{4}$
6. $8\,{}^{5}/_{6}$
7. $21\,{}^{8}/_{9}$
8. $7\,{}^{2}/_{3}$

Cyfieithwch y brawddegau hyn:
1. I asked for half a pint and I got a full pint.
2. He hasn't eaten a third of the food.
3. We are going to make a profit on half the customers.
4. An eighth of the bottle has not been drunk.
5. We'll make a profit of an eighth, if we're lucky.
6. She says that a sixth of the tables are empty.
7. Two-thirds of the bacon is left.
8. Three-quarters of a pound of flour, please.

Rhifau Cam 5
Ysgrifennwch y trefnolion rhwng [ ] mewn geiriau gan wneud unrhyw newid arall sy'n angenrheidiol:
1. Fe ganwn yr [2] emyn yn y llyfr.
2. Fe ddarllenwn o [2 + llythyr] Paul at y Corinthiaid.
3. Dyma'r [7] adnod o'r [4 + pennod].
4. Ydych chi wedi darllen llythyr [1] Paul at y Rhufeiniaid?
5. Rydw i'n hoffi'r [8] salm.
6. Ydych chi wedi darllen y [9 + pennod] o Genesis?
7. Ydy hanes geni'r Iesu yn yr [8 + pennod] o Efengyl Mathew?
8. Gwrandewch ar eiriau'r proffwyd yn y [4 + pennod], a'r [5 + adnod].

Cyfieithwch y brawddegau hyn:
1. The sixth question was very difficult.
2. He's read the second chapter instead of the fourth.
3. We're singing the seventh hymn, not the tenth.
4. Have you read the eighth chapter of Genesis?
5. We're studing the fourth psalm.
6. She was the second person to answer the question wrongly.
7. I was the first to arrive.
8. Will you turn to the fifth chapter?

Rhifau Cam 6

Nodwch y dyddiad:
e.e. Mae Siôn yn dathlu ei ben blwydd ar y deuddegfed o Chwefror.

1.	14 Ionawr	Gwilym
2.	19 Mawrth	Nona
3.	31 Mai	Mari
4.	18 Mehefin	Meryl
5.	23 Gorffennaf	Shaun
6.	28 Medi	Gaynor
7.	15 Tachwedd	Lee
8.	16 Rhagfyr	Gwydion

Cyfieithwch y brawddegau hyn:
1. It's his eighteenth birthday tomorrow.
2. We're celebrating their fortieth wedding anniversary.
3. Are they hoping to celebrate her twenty first birthday?
4. It's the twenty fourth of August today.
5. We're going there on the nineteenth of June.
6. Christmas is on the twenty fifth of December this year.
7. Which day is the fourteenth of May?
8. He's retiring after playing his fiftieth game for Wales.

Cymalau Cam 1
Cyfieithwch y brawddegau hyn:
1. If it rains, I'm not going.
2. I think the party starts at seven o'clock.
3. She likes eggs but she doesn't like bacon.
4. I know the student who's arranging the party.
5. We're not sure whether Jane is able to go.
6. I'm driving because she lives in Fishguard.
7. Mary's drinking because she isn't driving.
8. Read the book or go to see the film.

Ailysgrifennwch brif gymal y brawddegau hyn:
1. Os ydy hi'n bwrw eira dydw i ddim yn mynd.
2. Rydw i'n credu bod y parti'n gorffen am ddeg.
3. Mae Kay'n yfed achos dydy hi ddim yn gyrru.
4. Os ydy hi gartref bydd hi'n dod gyda ni.
5. Ydych chi'n gwybod bod Huw'n dathlu ei ben blwydd heno?
6. Dydyn ni ddim yn siŵr (a) ydy Siân yn gallu mynd.
7. Rydw i'n nabod y ferch sy'n trefnu'r parti.
8. Os ydy hi'n gyrru, rydw i'n gallu yfed.

Cymalau Cam 2
Newidiwch yr is-gymalau hyn i'r negyddol:
1. Rydw i'n gwybod bod y merched yn gallu canu.
2. Roeddwn i'n credu bod y casét yn dda.
3. Rydyn ni'n credu bod y gân yn ddiflas.
4. Dydw i ddim yn credu bod y band yn dda.
5. Ydych chi'n credu bod y band wedi canu'n dda?
6. Ydych chi'n gwybod bod y band wedi canu ar y teledu neithiwr?
7. Rydyn ni'n credu bod y ferch wedi perfformio'n dda.
8. Mae Huw'n gobeithio bod y merched yn mynd i'r parti.

Cywirwch y brawddegau hyn:
1. Ydych chi wedi clywed ei fod y disgo'n dechrau am ddeg?
2. Maen nhw'n gwybod y record yn boblogaidd iawn.
3. Rydw i'n credu bod mae llais y ferch yn hyfryd.
4. Mae'r gitarydd yn poeni bod mae'r neuadd yn llawn.
5. Ydych chi'n credu mae hi'n gallu canu?
6. Rydw i wedi clywed fod ddim band byw yno heno.
7. Maen nhw'n credu bod y band dim yn gallu chwarae'n dda iawn.
8. Roedd hi'n siŵr fod ddim y disgo'n dechrau am wyth.

Cymalau Cam 3

Rhowch ragenw yn lle enw yn y brawddegau hyn:
e.e. Rydw i'n credu bod Sharon Rock yn actio'n wael.
Rydw i'n credu ei bod hi'n actio'n wael.
1. Roeddwn i'n gwybod bod Hugh Benefit yn actio yn y ffilm.
2. Wyt ti'n gwybod bod y ffilm ar y teledu heno?
3. Rydw i'n siŵr bod Gamma Jones yn actio yn y ddrama.
4. Doedden ni ddim yn credu bod y dyn yn edrych yn realistig.
5. Dydw i ddim yn credu bod yr actorion yn gallu actio.
6. Ydych chi'n gwybod bod yr actorion yn gwneud ffilm arall?
7. Rydw i'n credu bod y ffilmiau newydd yn ddiflas.
8. Ydych chi'n gwybod bod y stori'n gorffen yn drist?

Cyfieithwch y brawddegau hyn:
1. I'm sure that there are five actors in the play.
2. Have you heard that she's not acting in the film?
3. We hope that she's acting tonight.
4. She knows that she can't act well.
5. I knew that the film was exciting.
6. Have you heard that it's in the cinema this week?
7. We believe that they're filming in Snowdonia.
8. They thought that they had seen it before.

Unwch y brawddegau hyn â 'bod':

e.e. Rydw i'n gwybod. Mae'r bws yn hwyr.

Rydw i'n gwybod bod y bws yn hwyr.

1. Rydw i'n gwybod. Mae Huw'n dost.
2. Rydw i'n credu. Mae hi'n dost.
3. Mae e'n credu. Mae e wedi cael annwyd.
4. Rydyn ni'n siŵr. Rydyn ni wedi gweld y meddyg.
5. Maen nhw'n gwybod. Mae'r meddyg wedi galw.
6. Mae hi'n credu. Mae hi'n mynd i'r parti heno.
7. Ydych chi'n gwybod? Mae hi'n dod adre yfory.
8. Ydych chi wedi clywed? Mae e wedi bod yn dost.

Cymalau Cam 4

Cyfieithwch y brawddegau hyn:

1. I don't know the man who has won the lottery.
2. Do you know the people who have lost everything?
3. I had read about the woman who's come out of prison.
4. Frank, who is Jim's brother, is in prison now.
5. They don't know what is right and what is wrong.
6. The secretary, who is now in hospital, is getting better.
7. She knows the girl who was on television.
8. We haven't heard about the students who were in the party.

Cywirwch y brawddegau hyn:

1. Rydw i'n nabod y dyn pwy sy'n nyrs yn yr ysbyty.
2. Ydych chi'n gwybod am y ferch sydd mae'n gweithio yn y llys.
3. Roedd hi'n gyrru'r car roedd yn y ddamwain.
4. Mae hi wedi clywed am y dynion nad oedd ar streic.
5. Roedden nhw'n sefyll wrth y fenyw pwy oedd newydd ddod o'r siop.
6. Rydw i'n gweithio gyda'r bobl oeddynt wedi bod yn y carchar.
7. Ydych chi wedi clywed am yr athrawes pwy fydd yn ein dysgu ni?
8. Roeddwn i'n helpu'r myfyrwyr fyddant yn mynd i'r coleg y flwyddyn nesaf.

Cymalau Cam 5

Cyfieithwch y brawddegau hyn:

1. I like the story because the characters are realistic.
2. I don't like the film because the story isn't exciting.
3. We were sleeping before the play ended.
4. They left after the first act because the acting was bad.
5. Although it's unbelievable, the novel is good.
6. They haven't read it, although they are studying it.
7. The ending was unexpected, although the background was boring.
8. I didn't like the film because it was colourless.

Cywirwch y brawddegau hyn:

1. Mae hi'n hoffi'r stori er bod hi ddim yn gyffrous iawn.
2. Roeddwn i'n darllen y nofel oherwydd bod fi wedi gweld y ffilm.
3. Dydw i ddim yn hoff iawn o'r diwedd, er bod mae e'n gyffrous.
4. Roedden ni'n cysgu erbyn ei bod y ffilm yn gorffen.
5. Roeddwn i'n hoffi'r llyfr, er rydw i ddim yn hoffi'r ffilm.
6. Roedd hi'n aros nes mae pawb wedi mynd.
7. Rydw i wedi darllen y stori, oherwydd bod mae'r cymeriadau'n lliwgar.
8. Dydyn ni ddim yn hoffi'r cefndir am ei bod hi'n anghredadwy.

Cymalau Cam 6

Cyfieithwch y brawddegau hyn:

1. It was too late after the lorry had hit us.
2. What were you doing before the car left the road?
3. Why didn't you turn as it was coming towards us?
4. She crossed the road without having seen the car.
5. They took her to the doctor's so that she could have treatment.
6. We went to the hospital in case something was broken.
7. Huw phoned home as he was going to be late.
8. Perhaps you've heard about the accident.

Unwch y brawddegau hyn:

1. Roedd hi'n bwrw glaw. [erbyn] Rydyn ni'n cyrraedd.
2. Roedd hi'n hanner awr wedi wyth. [cyn] Mae'r ambiwlans yn cyrraedd.
3. Rydw i'n rhoi rhwymyn am ei goes. [rhag ofn] Mae hi'n gwaedu.
4. Aethon ni â Jane at y meddyg. [er mwyn] Mae'n edrych ar y clwyf.
5. Fe yrrodd y lorri aton ni. [heb] Mae'r gyrrwr yn ein gweld ni.
6. Roedd hi'n dechrau tywyllu. [cyn] Mae'r meddyg yn cyrraedd.
7. [erbyn] Rydyn ni'n gyrru yno. Roedd hi'n rhy hwyr.
8. Gwelais ei bod hi wedi ei hanafu'n gas. [ar ôl] Roedd y car yn ei tharo hi.

Cymalau Cam 7

Llanwch y bylchau yn y brawddegau hyn:

1. Rydyn ni wedi clywed _____ bydd y gwaith yn agor y flwyddyn nesaf.
2. Mae'r cwmni wedi dweud _____ byddan nhw'n cau'r gwaith.
3. Ydych chi wedi clywed y _____ y ffatri'n cau?
4. Rydyn ni'n ofni y _____ llawer o bobl heb waith.
5. Rydyn ni'n gobeithio y _____ ni'n denu'r ffatri i Gymru.
6. Mae perygl y _____ diweithdra'n cynyddu.
7. Mae e'n siŵr y _____ y cwmni'n buddsoddi arian mawr yn y gwaith.
8. Mae'r llywodraeth yn gobeithio _____ daw'r gwaith i Gymru.

Cysylltwch y brawddegau hyn â 'na':

1. Rydw i'n credu.   Daw'r ffatri i Lanidloes.
2. Rydyn ni'n gobeithio.   Bydd diweithdra'n codi.
3. Roedden ni'n credu.   Byddai llawer o bobl yn ddi-waith.

4. Ydych chi wedi clywed?	Caiff Amlwch y gwaith.
5. Rydyn ni'n ofni.	Byddwn ni'n cael gwaith.
6. Roedden ni wedi ofni.	Bydden ni'n dod yn ôl i Gymru.

Cyfieithwch y brawddegau hyn:
1. We've heard that the company won't come to Wales.
2. He promised that he would do everything to attract the factory.
3. Are you sure that you will get the grants?
4. I knew that they wouldn't put up the price of petrol.
5. The company hoped that taxes would not go up again.
6. They were hoping that they would not have to move from the area.
7. There is always a danger that unemployment will rise.
8. She hoped that the town would not suffer.

Cymalau Cam 8

Cwblhewch y brawddegau hyn, gan ddefnyddio 'i' + enw + berfenw:
1. Rydw i'n credu [Plaid Binc, ennill].
2. Ydych chi wedi clywed [fe, colli] 'r etholiad?
3. Maen nhw'n dweud [hi, ennill] yn hawdd.
4. Roeddwn i'n siŵr [Plaid Wen, colli].
5. Rydyn ni wedi clywed [nhw, ennill] yr etholiad.
6. Rydw i'n gobeithio [chi, llwyddo] yn yr etholiad.
7. Mae'r papur yn dweud [fe, dod yn ail].
8. Rydyn ni'n credu [Prif Weinidog, colli] ei sedd.

Newidiwch y brawddegau hyn i araith anuniongyrchol:
e.e. Mae e'n dweud, "Rydyn ni wedi ennill."
Mae e'n dweud iddynt ennill.
1. Roedd e wedi dweud, "Mae'r Blaid Wen wedi ennill deg sedd."
2. Dywedodd y Prif Weinidog, "Rydyn ni wedi ennill yr etholiad yn hawdd."

3. Roedd hi'n datgan, "Dydyn ni ddim wedi colli un sedd."
4. Roedd hi'n honni, "Mae'r pleidiau eraill wedi colli mwy na ni."
5. Roedd arweinydd y Blaid Wen yn dweud, "Dydw i ddim wedi colli fy sedd."
6. Dywedodd Mr Alun Morris, "Rydw i wedi cadw fy sedd yn hawdd."
7. Dywedodd yr arweinydd, "Dydyn ni ddim wedi newid ein polisïau o gwbl."
8. Meddai'r Prif Ysgrifennydd, "Dydy'r problemau ddim wedi dod i ben."

Cymalau Cam 9

Gorffennwch y brawddegau hyn:

1. Ydych chi'n siŵr _____ Huw welsoch chi?
2. Rydw i'n credu mai Huw [gweld] i neithiwr.
3. Oeddech chi'n credu mai Siân _____ yn sefyll wrth y tŷ?
4. Rydw i'n gwybod _____ hi oedd yno.
5. Ydych chi'n dweud _____ gorila oedd yn gyrru'r car?
6. Wel, rydw i'n credu _____ hi welais i.

Newidiwch yr is-gymal i'r negyddol:

1. Rydw i'n credu mai Huw welais i.
2. Mae hi'n siŵr mai Siân oedd yno.
3. Ydych chi'n gwybod taw John fuodd yno?
4. Rydw i bron yn siŵr mai Jeremy ddaeth adre gyntaf.
5. Ydych chi'n credu mai hi oedd y ferch?
6. Rydw i'n gwybod mai hi yw'r un.

Cyfieithwch y brawddegau hyn:

1. Have you heard if it was Siân who was in court?
2. We didn't know whether she was guilty or not.
3. I'm sure that it was a girl who was standing by the house.
4. How can you be certain that it was a car that you saw?
5. I don't believe that Sean was the leader.
6. I'm sure that he isn't the man I saw yesterday.

7. We don't know how they came to court.
8. Can you remember whether you had something to drink?
9. I can't remember whether it was raining or not.
10. Do you know how many years he got?

Cymalau Cam 10
Cyfieithwch y brawddegau hyn:
1. He's working for the company which won the contract.
2. Have you seen the girl who asked for a map?
3. In this street there is a small house which was built by a farmer.
4. Do you know the author who wrote the book?
5. I remember the party which didn't finish until midnight.
6. I stayed at the hotel which wasn't finished.
7. Did you visit the church that they built last year?
8. They worked at the factory which was closed this week.

Cysylltwch y brawddegau hyn ag un o'r ddau air isod:
a, na
1. Dyma'r tŷ. Cafodd e ei adeiladu gan y bobl eu hunain.
2. Ydych chi wedi gweld y castell? Cafodd e ei ddistrywio gan Owain Glyndŵr.
3. Rydw i'n hoffi'r theatr. Cafodd hi ei chodi yn y ganrif ddiwethaf.
4. Rydyn ni'n byw yn y stryd. Chafodd hi mo'i hadnewyddu gan y cyngor.
5. Ydych chi'n hoffi'r papur wal? Phrynon ni mohono fe.
6. Mae hi wedi ymweld â'r ddinas. Cafodd hi ei chwalu yn y rhyfel.
7. Welsoch chi'r pentref? Enillodd hi mo'r wobr am harddwch.
8. Roedd Janet yn hoffi'r bachgen. Fuodd e ddim yn y coleg.

Cymalau Cam 11
Cyfieithwch y brawddegau hyn:
1. The boss is a woman. – Yes.
2. It's here that they live. – Yes

3. They live here. – Yes.
4. It's tonight that we're arriving. – No.
5. We're arriving tonight. – Yes.
6. This caffe's very cold. – Yes, it is.
7. She won't be coming back. – No, she won't.
8. She was complaining. – Yes.

Cyfieithwch y brawddegau hyn:
1. This food has been reheated. No, it hasn't.
2. This swimming pool isn't very big. Yes, it is.
3. It's tonight we want to have food. No – tomorrow.
4. Here's the bill – are you paying by card? Yes, thanks.
5. It's a fly that's in my soup. No, it's only a snail.
6. They burnt my meat. Did they?
7. They didn't put any sauce on the table. Didn't they?
8. There's a good choice on the menu tonight. What a surprise!

Cymalau Cam 12
Cyfieithwch y brawddegau hyn:
1. Have you seen the house which we will rent?
2. Where is the book which I was reading?
3. I can't find the dictionary which you had bought.
4. Pork is the only meat which I don't like.
5. This is the library which he hasn't seen yet.
6. She finished the essay which she hadn't finished yesterday.
7. This is the department which he hates.
8. We like the friends whom she had seen.

Cysylltwch y brawddegau hyn:
1. Fe ydy'r darlithydd. Roeddwn i'n ei gasáu.
2. Ydych chi wedi gweld y llyfr? Roeddwn i wedi ei fenthyg.
3. Mae hi'n mynd i'r fflat. Bydd hi'n ei rentu y flwyddyn nesaf.
4. Maen nhw wedi gorffen y traethawd. Dydw i ddim wedi ei wneud.
5. Fuoch chi yn y coleg. Bues i'n astudio ynddo.

6. Mae hi'n hoffi'r bar. Mae'r myfyrwyr i gyd yn mynd iddo.
7. Dyma f'ystafell wely. Rydw i wedi ei glanhau.
8. Hwn yw'r llyfr. Byddwn ni'n ei ddarllen eleni.

Cymalau Cam 13
Cyfieithwch y brawddegau hyn:
1. Have you met the man whose wife works in Llandudno?
2. We know the girl to whom he's writing.
3. Where did you see the children whose parents were on the beach?
4. These are the people we talked about.
5. He is the man to whom you weren't nasty.
6. Do you remember the woman whose husband ran away?
7. Here is my friend to whom you sent a present.
8. Who is the relative whose birthday you forgot?

Cywirwch y brawddegau hyn:
1. Fe yw'r dyn y gwelon ni yn y dref.
2. Ydych chi'n nabod y fenyw yr oedd yn gyrru'r car?
3. Pwy yw'r plant a anfonon ni anrheg atyn nhw?
4. Dyma fy ffrind y daeth adref gyda fi.
5. Rydyn ni'n mynd i ymweld â menyw yr oedd gŵr hi'n dost.
6. Edrychwch ar y traeth yr oedd yn llawn o bobl yn y prynhawn.
7. Rydw i wedi darllen y llyfr a siaradoch chi am.
8. Welsoch chi'r plentyn yr oedd hi gas wrthi?

Cymalau Cam 14
Cyfieithwch y brawddegau hyn:
1. By the time he arrives, there will be a riot.
2. We should go while there is room in the bus.
3. She will be disappointed if I don't stay at home tonight.
4. They left before things began to go wrong.
5. Can you hold this poster until the protest finishes?
6. Siân will be ready to take part whenever there is a protest.
7. He's staying here until it gets dark.
8. They went home when the train arrived.

Cyfieithwch y brawddegau hyn:

Geirfa

tourists	twristiaid
safeguard	diogelu
the countryside	y wlad, cefn gwlad
advertising	hysbysebu
campaign	ymgyrch
Wales Tourist Board	Bwrdd Croeso Cymru
invaders	ymosodwyr
foreign	tramor

1. Wales is a pleasant, hilly country and attracts tourists from all parts of the world.
2. The climate in Wales tends to be wet but the countryside benefits from the rain.
3. As the Welsh speaking parts of Wales are in the most beautiful areas of the country, steps must be taken to safeguard the language in these areas.
4. In spite of the money which is spent on advertising, the number of tourists coming to Wales is not increasing.
5. The chairman of the Wales Tourist Board said that he would emphasise the Welshness of Wales in the next advertising campaign.
6. Whenever you think of having a holiday abroad, think of the many beautiful places in Wales which you have not seen.
7. Although the castles in Wales were mainly built by foreign invaders, they are now part of the Welsh scenery.
8. If hotels in Wales were able to provide a cheaper service, far more people would visit the country.
9. Because there are not many railways in Wales, roads are choked in summer.
10. Unfortunately the country attracts caravans whose owners have bought their food and their petrol in England.
11. Welsh crafts are mainly produced by foreigners who have fallen in love with the idea of an old-fashioned way of life.

12. When they visit an area in their hundreds, tourists spoil the beauty of the places they visit.

Cywirwch y brawddegau hyn:
1. Fe fyddan nhw'n mynd adre pe bai hi'n bwrw glaw.
2. Eisteddon nhw ar y stryd pan dechreuodd yr heddlu gyrraedd.
3. Mae hi'n bwriadu mynd os fydd ei chariad yno.
4. Pan yr aeth e i'r dre, roedd y brotest wedi dod i ben.
5. Dylech chi fynd i'r coleg tra chewch chi gyfle.
6. Rydw i eisiau dysgu gyrru cyn fydd hi'n rhy hwyr.
7. Fe gawn ni barti os mae bwyd ar ôl.
8. Pe af i heno, fyddwn i ddim yn gallu mynd yfory.

Cymalau Cam 15
Newidiwch y brawddegau gan bwysleisio'r goddrych:
1. Cymerais i'r arian.
2. Cest ti'r cyfan.
3. Gwastraffodd hi'r bwyd.
4. Daeth y plant adre.
5. Gyrrodd y dynion yn gyflym
6. Mae e yma.
7. Roedd lladron wedi dwyn yr offer.
8. Aeth y merched i swyddfa'r heddlu.

Pwysleisiwch y goddrych yn y brawddegau hyn a'u troi'n negyddol:
1. Rydw i'n cyhuddo'r plant.
2. Mae'r bechgyn wedi ennill.
3. Buodd y merched yn ffodus.
4. Aeth y myfyrwyr i sgio.
5. Roedd dau fachgen wedi dwyn yr arian.
6. Roedd yr arian ar y bwrdd.
7. Rhedodd y disgyblion o'r siop.
8. Mae'r heddlu wedi dal y lladron.

Cymalau Cam 16

Pwysleisiwch yr elfen amser yn y brawddegau hyn:

1. Collon nhw'r gêm ddoe.
2. Roedden nhw ar ben y tabl ym mis Ionawr.
3. Enillon nhw'r cwpan y llynedd
4. Byddan nhw'n cystadlu'r flwyddyn nesaf.
5. Roedd y gystadleuaeth y bore 'ma.
6. Sgoriodd e yn y funud gyntaf.
7. Mae'r gêm ar y teledu heno.
8. Aethon ni i weld y gêm ym mis Rhagfyr.

Pwysleisiwch y gwrthrych yn y brawddegau hyn:

1. Sgoriodd Abertawe ddau gais.
2. Gwelais i ddwy gêm y llynedd.
3. Chwaraeon nhw un gêm yn ein herbyn ni.
4. Prynodd hi ddau docyn i weld y gêm.
5. Gwelodd e Gaernarfon yn chwarae yn y gwyliau.
6. Rhedodd hi filltir yn gyflym iawn, ond arafu wedyn.
7. Roeddwn i'n cefnogi'r tîm lleol.
8. Bydda i'n talu'r bachgen nos yfory.

Cymalau Cam 17

Cyfieithwch y brawddegau hyn:

1. I would be ready now if you had prepared a meal.
2. You would have married, if you had had a baby.
3. If I said no, would you wait for me?
4. She would have been wiser, if she had lived with him.
5. If we were to marry, where would we buy a house?
6. If we got married, they would celebrate.
7. If he loved her, she wouldn't say no.
8. If he weren't rich, I would not marry him.

Cyfieithwch y brawddegau hyn:

1. I would buy a new dictionary if I were to lose this one.
2. Were it not for the lecturer, she would have failed the exams.

ATEBION

Mae amrywiadau wedi eu nodi, trwy roi'r amrywiad ar ôl '/', e.e. tad-cu/taid.

Weithiau nodir amrywiad trwy osod gair y mae'n bosibl ei hepgor mewn cromfachau e.e. Pam (na) throioch chi ddim.

Dydy'r holl amrywiadau ddim wedi eu nodi. Dyma rai amrywiadau cyffredin eraill:

* Gosod 'fe' o flaen y ferf, e.e. dylai hi fynd > fe ddylai hi fynd.
* Amrywio'r ferf, e.e. roeddwn i'n mynd yno bob dydd/ byddwn i'n mynd yno bob dydd.
* Defnyddio 'A' o flaen cwestiwn, e.e. Fydd hi'n mynd? > A fydd hi'n mynd?
* Defnyddio 'Ai' o flaen cwestiwn, e.e. Huw sy'n siarad? > Ai Huw sy'n siarad?
* Amrywio ffurf y ferf, e.e. rydw i'n gwybod > rwy'n gwybod.
* Amrywio'r defnydd o'r rhagenw ategol, e.e. fy mrawd i > fy mrawd; gwelais i hi > gwelais hi.
* Amrywio'r defnydd o 'yw' neu 'ydy', e.e. Athrawes yw hi > Athrawes ydy hi.
* Defnyddio 'ti' yn lle 'chi' i gyfieithu *you*.
* Defnyddio 'taw' yn lle 'mai', e.e. Dywedodd hi mai Siân oedd yno > Dywedodd hi taw Siân oedd yno.
* Defnyddio 'fod' yn lle 'bod', e.e. Rydw i'n gwybod bod… > Rydw i'n gwybod fod…

Berfau Cam 1

e.e. Ydy Charlie Chaplin yn actio yn y ffilm?
Ydy, mae e'n actio yn y ffilm./Na, dydy e ddim yn actio yn y ffilm.
1. Ydy'r ffilm yn y sinema heno?
2. Ydy hi'n hoffi ffilmiau antur?
3. Oes llawer o bobl yn y sinema heno?
4. Ydy'r newyddion ar y teledu heno?
5. Ydy'r actores yn hoffi dillad?
6. Oes digon o bopcorn yn y bag?
7. Oes rhaid i ni fynd i'r sinema?
8. Ydy dy chwaer yn mwynhau ffilmiau?

Cywirwch y brawddegau hyn:
1. Maen nhw'n dangos dwy ffilm heno.
2. Ydyn ni'n mynd i'r sinema yfory?
3. Dydy e ddim yn actio yn y film.
4. Oes llawer o bobl yn y theatr?
5. Dydyn nhw ddim yn actio'n dda.
6. Dydyn nhw ddim ar y teledu.
7. Maen nhw'n aros gartre.
8. Dydyn ni ddim yn hoffi opera.

Berfau Cam 2

Trowch y brawddegau hyn yn negyddol:
1. Dydy'r dillad ddim ar y llawr.
2. Does dim sebon yn y sinc.
3. Dydyn ni ddim yn ymweld â nhw yfory.
4. Dydyn nhw ddim yn ymadael â'r wlad.
5. Dydych chi ddim o dan ei ddylanwad e.
6. Dydy Fred Louis ddim yn ymladd ag Ali Lennox heno.
7. Dydy e ddim yn gweithio yn y tŷ trwy'r bore.
8. Dydy hi ddim yn gofalu am y plant.

Cywirwch y brawddegau hyn:
1. Mae'r tywelion wrth y bath.
2. Ydych chi'n siarad â'r plant?
3. Rydyn ni'n aros amdanoch chi.
4. Mae e wedi dysgu Cymraeg i fi.
5. Maen nhw'n ein helpu ni i chwilio.
6. Dydy e ddim wedi ymweld â ni.
7. Rydych chi ar y teledu!
8. Dydyn nhw ddim yn gwylio'r teledu.

Berfau Cam 3

Treiglwch y geiriau rhwng [ ], os oes angen:
1. Mae'r teipydd yn gyflym.
2. Mae'r fenyw yn ddarlithydd.
3. Mae'r botel yn llawn.
4. Dydy hi ddim yn rhad.
5. Dydy'r llyfr ddim yn fawr iawn.
6. Mae e'n arddwr.
7. Rydych chi'n gynnar.
8. Ydw i'n gyrru?

Cywirwch y brawddegau hyn:
1. Athro ydy'r dyn.
2. Cogydd ydy Siân.
3. Merched ydyn nhw.
4. Ydy e'n goch?
5. Mae e'n llawn.
6. Peilot ydych chi?
7. Coleg da ydy coleg Abertridwr.
8. 'Pont' ydy 'pont' yn Ffrangeg.

Berfau Cam 4

Rhowch un o'r geiriau hyn yn y bylchau:
mae, sy, ydy, fydd, oedd
1. Faint ydy cost y bwyd?
2. Pwy mae hi'n ei weld heno?
3. Beth sy ar y teledu heno?
4. Pwy fydd yn chwarae i Gymru'r wythnos nesa?
5. Faint oedd yn edrych ar y gêm ddoe?
6. Beth oedd y sgôr ar ddiwedd y gêm?
7. Faint mae'r bwyd yn ei gostio?
8. Beth mae hi'n ei wylio heno?

Cywirwch y ferf yn y brawddegau hyn:
1. Beth mae e'n ei wneud heno?
2. Faint mae'r bwyd yn ei gostio?
3. Pwy sy'n chwarae i Gymru?
4. Faint ydy cost y bwyd?
5. Pwy mae hi'n ei weld yfory?
6. Beth ydy e?
7. Beth mae hi'n ei lanhau?
8. Faint ydy e?

Berfau Cam 5

Rhowch ffurfiau Gorffennol y berfau yn y brawddegau hyn:
1. Ble cawsoch chi ginio heddiw?
2. Aethon ni i weld y gêm yng Nghaerdydd.
3. Daethon nhw adre'n gynnar.
4. Pryd daethoch chi adre neithiwr?
5. Gawson nhw'r wobr gyntaf yn yr eisteddfod?
6. Wnaethoch chi rywbeth yn y dre?
7. Pryd aethoch chi ar eich gwyliau y llynedd?
8. Des i yma ddoe.

Trowch y brawddegau hyn yn negyddol:
1. Ches i ddim gwobr am ganu.
2. Chafodd hi mo'r wobr gyntaf.
3. Ddaethon ni ddim adre'n gynnar.
4. Aethoch chi ddim i weld y gêm.
5. Wnaethon nhw mohono/mo fe yn y bore.
6. Ddes i ddim i'r coleg ddoe.
7. Aeth hi ddim i'r ysbyty.
8. Chafodd e mohoni/mo hi am ganu yn yr eisteddfod.

Trowch y brawddegau hyn yn negyddol:
1. Dydw i ddim yn gweld ffilm ar y teledu bob nos.
2. Dydych chi ddim yn hoffi ffilmiau antur.
3. Dydy Siân, fy chwaer, ddim yn hoffi ffilmiau serch.
4. Dydyn ni ddim yn mynd i'r sinema bob wythnos i weld ffilm.
5. Does dim drama yn y theatr yr wythnos nesa.
6. Nid Huw sy'n gyrru heno.
7. Dydw i ddim yn nabod y ferch oedd yn y tîm.
8. Chafodd e ddim gwobr yn yr eisteddfod.
9. Wnes i mohono/mo fe'n iawn.
10. Ydych chi nabod y merched sy ddim yn dysgu nofio?

Llanwch y bylchau yn y brawddegau hyn:
1. Ches i mo'r wobr gyntaf ddoe.
2. Chawson nhw mo'r llyfr yn y dre.
3. Wnaethoch chi'r mo'r llestri trwy'r gwyliau.
4. Wnaeth e mohonyn nhw.
5. Ches i mo'r wobr, gwaetha'r modd.
6. Wnaethon nhw mohono/mo fe'n dda iawn.
7. Chawson ni mohonyn/mo nhw gyda'r post.
8. Chawsoch chi mohoni/mo hi yn y siop.

Berfau Cam 6

Rhowch ffurfiau Gorchmynnol y berfau yn y brawddegau hyn:
1. Dysgwch eich gwaith yn dda!
2. Brwsiwch eich dannedd ar ôl brecwast!
3. Glanhewch eich esgidiau cyn mynd allan!
4. Gwna dy waith yn y bore!
5. Aros/Arhosa i fi, wnei di!
6. Cymer dy fwyd gyda thi!
7. Paid â mynd heb dy frawd!
8. Peidiwch ag aros am eich ffrindiau!

Cywirwch y brawddegau hyn:
1. Peidiwch â mynd heb eich bag!
2. Cymerwch eich cot!
3. Glanhewch y llawr!
4. Mwynhewch y gwyliau!
5. Dysgwch eich gwaith!
6. Prynwch y llyfrau!
7. Darllenwch y papur!
8. Gwyliwch y teledu heno!

Berfau Cam 7

Newidiwch i'r negyddol:
1. Fues i ddim yn nofio yn y môr.
2. Fuon nhw ddim yn dringo Tryfan yn y bore.
3. Fuodd e ddim yn gyrru car o gwmpas y wlad.
4. Fuodd hi ddim yn gwersylla yn Ne Ffrainc.
5. Fuon ni ddim yn hwylio ar y llyn.
6. Fuon ni ddim yn ymweld ag amgueddfa Coca Cola yn Fflorida.
7. Fuon nhw ddim gyda'u mam trwy'r gwyliau.
8. Fuon ni ddim yn darllen yn y llyfrgell yn ystod y gwyliau.

Cyfieithwch:
1. Es i i'r Eidal y llynedd.
2. Aethon ni i siopa yn Abertawe ddoe.
3. Roedd damwain gas ar yr heol.
4. Aethon nhw i wersylla yn yr haf.
5. Ydych chi erioed wedi bod yn hwylio?
6. Na, ond rydw i wedi bod yn dringo yn Eryri./Nac ydw, ond rydw i wedi bod yn dringo yn Eryri.
7. Aethon nhw dros y môr yn y gwyliau?/Aethon nhw dramor yn y gwyliau?
8. Na/Naddo, aethon nhw ddim allan o'r tŷ.

Berfau Cam 8

Rhowch derfyniad cywir y berfau yn y brawddegau hyn:
1. Codais i'n gynnar bore 'ma.
2. Gweithion nhw'n galed trwy'r dydd.
3. Welsoch/Weloch chi'r gêm ar y teledu neithiwr?
4. Chwaraeodd Cymru'n wael iawn, gwaetha'r modd.
5. Phrynais i ddim byd yn y dre.
6. Yfon ni mo'r llaeth – roedd e'n sur.
7. Gofiaist ti anfon llythyr at y plant?
8. Daliodd hi i ganu trwy'r nos.

Newidiwch y brawddegau hyn i'r Gorffennol:
1. Ysgrifennais i lythyr ati hi.
2. Ddarllenodd hi mo'r llyfr.
3. Dalion nhw i boeni amdana i.
4. Chwaraeoch chi i'r tîm cyntaf?
5. Ddysgodd hi mo'r gwaith.
6. Phrynodd e ddim llyfr.
7. Gyrhaeddon nhw'n gynnar?
8. Yfon ni bopeth.

Berfau Cam 9

Defnyddiwch ffurfiau Gorffennol 'gwneud' yn y brawddegau hyn:
1. Gwnes i godi'n gynnar.
2. Wnaethon nhw ddim mynd i'r ddarlith.
3. Wnaethoch chi mo'r traethawd.
4. Wnaeth hi ddim sefyll yr arholiad.
5. Wnest ti mo'r arholiad yn dda iawn.
6. Wnaethoch chi'r gwaith i gyd?
7. Wnaeth e ddim adolygu o gwbl.
8. Gwnes i gerdded i ffwrdd.

Rhowch ragenwau yn lle'r enwau pendant:
1. Fe wnes i ei darllen hi.
2. Fe wnaeth e ei basio fe.
3. Wnaethon ni mo'i ddysgu fe.
4. Wnaeth hi mo'i ddal e.
5. Wnaethoch chi ei hoffi hi?
6. Wnaethoch chi eu hadolygu nhw?
7. Wnest ti mohono/mo fe.
8. Fe wnaethon nhw eu mynychu nhw.

Cyfieithwch y brawddegau hyn:
1. Wnes i mohono/mo fe.
2. Wnaethon ni ddim gweithio'n galed y llynedd.
3. Wnaeth e ddim mynd i'r ddarlith.
4. Wnaethon nhw aros tan y diwedd.
5. Wnaethon nhw adael ar ôl awr?
6. Wnaeth hi ddim hoffi'r ddarlith.
7. Wnaeth e ddim ei fwyta fe.
8. Wnaethoch chi gerdded adre.

Berfau Cam 10

Cywirwch y brawddegau hyn:
1. Maen nhw newydd gyrraedd.
2. Rydyn ni heb orffen y gwaith./Dydyn ni ddim wedi gorffen y gwaith.
3. Mae e ar fin ennill.
4. Dydy hi ddim wedi galw heddiw.
5. Ydych chi wedi ei ddarllen e?
6. Gwnes i ei phasio hi.
7. Cherddon ni ddim adre.
8. Beth mae e'n ei wneud yn y siop?

Newidiwch y brawddegau hyn yn negyddol:
1. Dydyn nhw ddim newydd fynd.
2. Dydy hi ddim ar fin cyrraedd.
3. Dydw i ddim wedi clywed y stori.
4. Dydy'r ferch ddim wedi ennill.
5. Dydy'r dyn ddim wedi colli.
6. Does neb wedi yfed y llaeth.
7. Dydyn ni ddim wedi chwarae'n dda.
8. Dydych chi ddim wedi ennill yn hawdd.

Berfau Cam 11

Lluniwch frawddegau, gan ddefnyddio un o'r canlynol:
gyda, gan, cael
1. Fe gawn ni barti heno./Cawn ni barti heno.
2. Mae gennyn ni fynyddoedd yng Nghymru.
3. Mae gen i esgidiau da i gerdded.
4. Fe gân nhw lawer o hwyl yn y wlad./Cân nhw lawer o hwyl yn y wlad
5. Caiff Cymru ormod o law yn yr haf./Fe gaiff Cymru ormod o law yn yr haf.
6. Mae gan Gymru ormod o goed coniffer.
7. Mae gan y byd ormod o orsafoedd niwclear.
8. Caiff problemau'r byd sylw o'r diwedd./Fe gaiff problemau'r byd sylw o'r diwedd

Cywirwch y brawddegau hyn:
1. Cafodd y môr ei lygru gan olew.
2. Mae'r coed wedi cael eu difetha gan y gwynt.
3. Mae gan Gymru fynyddoedd uchel yn y gogledd.
4. Cafodd y wlad ei distrywio gan y traffig.
5. Mae'r afonydd wedi cael eu gwenwyno gan y cemegau.
6. Mae gen i ddau frawd a dwy chwaer.
7. Cafodd y merched eu dal yn smygu.
8. Maen nhw'n cael amser da yn y parti.

Cyfieithwch y brawddegau hyn:
1. Caiff Cymru ormod o law yn yr haf.
2. Rydw i'n cael amser gwych/ardderchog/da iawn.
3. Mae'r gwaith wedi (cael) ei wneud.
4. Ga i ragor o laeth, os gwelwch yn dda?
5. Gawn ni weld y ffilm?
6. Mae gan y byd lawer o broblemau amgylcheddol.
7. Faint o afonydd oedd wedi (cael) eu llygru? Sawl afon oedd wedi (cael) eu/ei llygru?
8. Cawson nhw eu geni yn y Rhondda.

Berfau Cam 12

Trowch y brawddegau hyn i Gymraeg ffurfiol:
1. Rydw i'n mynd i'r ddawns heno.
2. Rydyn ni'n hoffi mynd i'r dre.
3. Ydych chi wedi gweld y gêm?
4. Oedd ofn y traffig arnoch chi?
5. Welsoch/Weloch chi'r castell?
6. Dydw i ddim yn ei gredu e.
7. Peidiwch â dweud!
8. Doedden nhw ddim yno.

Rhowch ffurf y de/gogledd am y geiriau hyn.
1. llaeth
2. tad-cu
3. anfon
4. nawr
5. bachgen
6. allan
7. i fyny
8. arian
9. moyn/mo'yn/mofyn
10. poeni

Berfau Cam 13

Newidiwch y brawddegau hyn yn negyddol:
1. Nid yw e'n hoffi darllen llyfrau antur.
2. Nid yw hi'n casáu barddoniaeth.
3. Nid ydym yn darllen gwaith Dafydd ap Gwilym yn y gwely bob nos.
4. Nid ydynt yn adolygu nofelau Cymraeg ar y teledu.
5. Nid wyf yn hoffi ysgrifennu storïau byrion.
6. Nid ydynt yn gwerthu cylchgronau Cymraeg yn y siop bapurau.
7. Nid wyt yn darllen gormod o lyfrau ditectif.
8. Nid ydych chi'n casáu ysgrifennu Cymraeg ffurfiol iawn.

Trowch i Gymraeg ffurfiol:
1. Rydyn ni'n hoffi darllen.
2. Doedden nhw ddim yn cysgu'n drwm.
3. Ydych chi'n hoff o'r llyfr?
4. Ydyn nhw wedi gorffen?
5. Dydych chi ddim yn gwerthfawrogi'r stori.
6. Rydw i ar fin mynd allan.
7. Doedd hi ddim wedi darllen y llyfr.
8. Dydw i ddim wedi clywed amdanyn nhw.

Berfau Cam 14

Cyfieithwch:
1. Roeddwn i wedi cyrraedd cyn iddyn nhw fynd.
2. Doedden ni ddim wedi meddwl am hynny o'r blaen.
3. Roedden nhw newydd basio'r prawf.
4. Pan ddaeth e i mewn, roedd ei ffrindiau wedi mynd yn barod./Pan ddaeth e i mewn, roedd ei ffrindiau eisoes wedi mynd.
5. Roedd hi wedi anghofio'r llaeth, ond doedd hi ddim wedi mynd i'r siop gornel./Roedd hi wedi anghofio'r llaeth, ond doedd hi ddim wedi rhoi cynnig ar siop y gornel.
6. Pasiais i Ffrangeg eleni, ond roeddwn i eisoes wedi pasio Cymraeg./Pasiais i Ffrangeg eleni, ond roeddwn i'n barod wedi pasio Cymraeg.
7. Roedd hi wedi bod yn fyfyrwraig gydwybodol.
8. Doedd dim myfyrwyr yno heddiw.
9. Roedden ni wedi bod yn aros am awr, ond chyrhaeddon nhw ddim.
10. Cawson nhw bryd da o fwyd, ac wedyn aethon nhw i'r sinema./Cawson nhw bryd da o fwyd, a mynd wedyn i'r sinema.

Cywirwch y brawddegau hyn:
1. Roeddwn i wrth y drws.
2. Roedd e wedi bod yn chwarae rygbi.
3. Roedden ni newydd ddarllen y papur./Roeddwn i newydd ddarllen y papur.
4. Roedd hi newydd orffen bwyta.
5. Roedden nhw wedi dechrau yn y coleg.
6. Oeddech chi gartre trwy'r bore?
7. Doedd dim gwersi yn y coleg yn y gwyliau.
8. Doedd y myfyrwyr ddim wedi gweithio'n galed.

Berfau Cam 15

Cyfieithwch y brawddegau hyn:
1. Fydd dim trafferth yn y ddawns.
2. Fydd band byw yno?
3. Fe fyddan nhw'n dod adre ar ôl y disgo.
4. Bydd llawer o ddamweiniau'n digwydd ar ôl 11 y nos./Mae llawer o ddamweiniau'n digwydd ar ôl 11 y nos.
5. Fe gewch chi'ch temtio weithiau, ond fyddwch chi ddim yn yfed gormod, fyddwch chi?
6. Mae pobl ifanc yn wynebu llawer o broblemau pan fyddan nhw'n mynd i'r brifysgol.
7. Bydd rhaid i fi edrych ar y rhaglen.
8. Fydd e/hi ymlaen yfory eto?

Defnyddiwch ffurfiau Dyfodol 'bod' yn y brawddegau hyn:
1. Fyddwn ni ddim yn yfed alcohol.
2. Fe fyddan nhw wedi colli popeth.
3. Pryd byddwch chi'n cyrraedd?
4. Fydd hi ddim yn credu'r peth.
5. Fe fyddwch chi eisiau gwybod y gwir.
6. Fydda i ddim yn galw eto.
7. Fe fydd e wedi colli ei gyfle.
8. Fyddan nhw'n dod gyda ni?

Berfau Cam 16

Cyfieithwch y brawddegau hyn:
1. Dylen nhw ddechrau meddwl amdano fe o ddifri.
2. Ddylen ni ddim poeni gormod am hyn.

3. Bu e farw ddau ddiwrnod ar ôl y ddamwain.
4. Fi piau'r botel yna!
5. Doedd y sgert ddim yn gweddu iddi hi o gwbl.
6. Bydden nhw'n byw yng nghwm Llynfi./Roedden nhw'n arfer byw yng nghwm Llynfi.
7. Ddylech chi ddim gyrru ac yfed.
8. Roedd rhaid i fi fynd yn ôl i'r dref i'r banc.

Cywirwch y brawddegau hyn:
1. Fe ddylwn i fod wedi cael tocyn.
2. Fe ddylai hi fod wedi mynd at y meddyg.
3. Buodd hi farw ar ôl y tân.
4. Ble buodd/roedd hi'n byw cyn dod i Drefeglwys?
5. Gorfu i fi basio'r arholiad cyn mynd i'r coleg./Roedd rhaid i fi basio basio'r arholiad cyn mynd i'r coleg.
6. Fi piau'r tŷ.
7. Ddylet ti ddim fod wedi prynu'r diodydd.
8. Pryd dylwn i fynd adre?

Berfau Cam 17

Defnyddiwch ffurfiau Presennol/Dyfodol cryno'r berfau yn y brawddegau hyn:
1. Af/A i yno yfory.
2. Daw e yn ôl cyn bo hir.
3. Fe welwch chi lawer yn y stori.
4. Fe gaiff e dipyn o bleser o'r llyfr.
5. Ân nhw ddim allan heno.
6. Gawn ni fenthyg y llyfr?
7. Wela i ddim byd yn y stori.
8. Wnewch chi fy helpu i?

Newidiwch y berfau i ffurfiau cryno'r ferf:
1. Wela i ddim pwrpas i'r llyfr.
2. Caiff e lawer o hwyl.
3. Gaiff hi ddod gyda ni?
4. Welan nhw'r ddrama?
5. Chewch chi ddim gyrru.
6. Yfan nhw'r llaeth i gyd.
7. Chreda i mo'r peth.
8. Gei di gadw'r llyfr?

Berfau Cam 18

Cyfieithwch y brawddegau hyn:
1. Cerddwn i'r gwaith bob dydd./Roeddwn i'n cerdded i'r gwaith bob dydd./Byddwn i'n cerdded i'r gwaith bob dydd.
2. Teipiai hi drwy'r dydd.
3. Gweithien ni'n galed yn yr ysgol, a phasien ni bob arholiad.
4. Tra gyrren ni yn y wlad, dechreuodd hi fwrw glaw.
5. Darllenen nhw'r papur bob bore.
6. Cysgwn i yn yr awyr agored pan oeddwn i'n gwersylla.
7. Am ddwy awr bob prynhawn, ysgrifennai e ei ddyddiadur.
8. Golchech chi'r llestri, sychwn i nhw, ac roedden ni'n hapus am ugain mlynedd.
9. Dywedodd hi y byddai hi'n gwneud cais am y swydd.
10. Gwydden ni y bydden nhw'n dod i'r cyfweliad.
11. Clywson nhw y byddwn i'n dechrau ym mis Medi.
12. Pe gwyddwn i hynny, byddwn i wedi ceisio'n galetach./Pe gwyddwn i hynny byddwn i wedi gwneud mwy o ymdrech.

Cyfieithwch y brawddegau hyn.
1. Gallwn i fod wedi gwneud y gwaith fy hun.
2. Dylen nhw fod wedi mynd i'r brifysgol.
3. Bydden ni wedi hoffi astudio Ffrangeg.
4. Gallai fe fod wedi pasio, ond allai fe ddim fod wedi pasio'n ddigon da.
5. Ddylech chi ddim fod wedi prynu'r anrheg.
6. Allai'r wlad ddim fod wedi cael tywydd gwaeth.
7. Hoffwn i fod wedi dysgu'r iaith cyn mynd.
8. Dylai hi fod wedi dysgu teipio cyn cynnig am y swydd./Dylai hi fod wedi dysgu teipio cyn gwneud cais am y swydd.

Berfau Cam 19

Rhowch y terfyniad cywir yn y brawddegau hyn:
1. Ysgrifennwyd y llyfr gan Islwyn Ffowc Elis.
2. Carcharwyd y dyn am bymtheng mlynedd.
3. Clywid adar yn canu bob bore gyda'r wawr.
4. Dechreuir y gwaith adeiladu yfory.
5. Gweler tudalen 97 am ragor o wybodaeth.
6. Gwelir ceirw a llwynogod ar y caeau hyn yn gyson.
7. Gwelwyd ar unwaith fod y tŷ wedi chwalu.
8. Cynhelir y gyngerdd nos Sadwrn am wyth.

Cywirwch y brawddegau hyn:
1. Cafodd y milwr ei ladd.
2. Gwelodd ef y gêm ar y teledu.
3. Ysgrifennodd John Hughes yr adroddiad.
4. Darllenwyd y newyddion gan Elin Meri.
5. Cafodd y chwaraewyr eu talu.
6. Cynhelir y gyngerdd nos yfory.
7. Carcharodd y barnwr ef am ddeng mlynedd.
8. Lladdwyd llawer o bobl yn y rhyfel.

Cyfieithwch y brawddegau hyn:
1. Daw llai o bobl ar wyliau i Gymru bob blwyddyn.
2. Clywid glaw ar y babell drwy'r nos.
3. Crëir cwmni newydd y flwyddyn nesaf.
4. Byddan nhw'n ceisio ennill lle yn y coleg.
5. Ddylen ni ddim fod wedi credu'r stori.
6. Bydd yr economi'n gwella yn ystod y flwyddyn.
7. Faint o'r arian gafodd ei godi gan y cwmni?
8. Gafodd digon o gymorth ei anfon i wledydd Affrica?

Berfau Cam 20

Trowch y rhain i'r Gorberffaith cryno:
1. Crwydrasai'r bardd drwy'r dydd.
2. Cysgasai'r ferch drwy'r bore.
3. Chwiliasai'r dynion am oriau.
4. Ysgrifenasid y llyfr amser maith yn ôl.
5. Ysgrifenasid y gerdd cyn cyfnod y tywysogion.
6. Blinasai'r ferch yn lân.
7. Enillasai'r bardd y gadair.
8. Diflanasai'r Gorberffaith erbyn yr ugeinfed ganrif.

Llanwch y bylchau yn y brawddegau hyn:
1. Beth wnelech chi, pe baech chi'n ennill y loteri?
2. Pe bai hi'n bwrw glaw, fyddech chi'n mynd?
3. Pe bai hi'n braf, byddwn i'n mynd i'r wlad.
4. Pe baech chi'n mynd, bydden nhw'n mynd hefyd.
5. Pe baen nhw'n gyfoethog, bydden nhw'n prynu'r tŷ.
6. Byddet ti ddim yma, oni bai am y bwyd.
7. Fyddech chi'n prynu car am bum mil o bunnoedd?
8. Pe bai'r trên yn hwyr, fyddwn i ddim yn aros.

Arddodiaid Cam 1

Rhowch arddodiad yn y brawddegau hyn, a threiglwch y gair sy'n dilyn os oes angen:
1. Mae hi wedi astudio Cymraeg ers dwy flynedd.
2. Maen nhw'n cael y llyfr gan ddarlithydd y cwrs.
3. Aeth hi i weld y prifathro.
4. Mae tua thair mil o lyfrau yn y llyfrgell.
5. Rydyn ni ar ganol cwrs Ffrangeg yn y coleg.
6. Mae'r athrawon dan bwysau mawr.

Llanwch y bylchau yn y brawddegau hyn, a threiglwch y gair ar ôl y bwlch:
1. Mae e'n astudio Ffrangeg yng ngholeg Abertawe.
2. Rydyn ni'n astudio Cymraeg ym Mangor.
3. Mae e'n byw ym Mhen-y-bont.
4. Maen nhw'n astudio lefel A yn Ninbych.
5. Mae Siân yn mynd i'r coleg yn Nhrefynwy.
6. Mae e'n aros yng Nglan-llyn am bythefnos.

Defnyddiwch un o'r geiriau hyn i lenwi'r bylchau, a threiglwch y gair ar ôl y bwlch:
â, gyda
1. Mae hi'n mynd gyda chyfaill i'r coleg.
2. Mae e'n astudio economeg gyda llawer o fyfyrwyr eraill.
3. Maen nhw'n siarad â phrifathro'r coleg.
4. Ysgrifennodd e'r traethawd â phensil.
5. Rydyn ni'n ymweld â choleg Aberystwyth yfory.
6. Mae hi'n mynd â thri geiriadur i'r coleg.

Rhowch un o'r geiriau hyn yn y bylchau isod:
er, ers, rhwng, wedi, cyn
1. Rydw i'n dysgu Cymraeg er mis Medi.
2. Mae'r coleg rhwng y môr a'r parc.
3. Rydyn ni'n cael coffi cyn mynd i'r ddarlith.
4. Maen nhw'n nabod y darlithydd ers blynyddoedd.
5. Es i adre wedi'r ddarlith.
6. Mae hi'n cael cwpanaid cyn y gwersi.

Rhowch arddodiad yn y brawddegau hyn:
1. Mae e'n gweithio trwy 'r dydd.
2. Mae hi'n aros gyda'i ffrind.
3. Mae'r myfyrwyr yn gweithio tan wyth y nos.
4. Mae'r darlithwyr yn edrych ymlaen at y gwyliau.
5. Dydy'r llyfrau ddim ar y silff yn y llyfrgell.
6. Ydych chi gwybod am lyfr da ar hanes Ewrop?
7. Mae digon o lyfrau daearyddiaeth yn y siop.
8. Mae'r ddarlithwraig yn ysgrifennu ar y bwrdd du.
9. Rydw i'n astudio yng Ngholeg Caerfelin.
10. Rydyn ni wedi bod yma er wyth y bore.

Cyfieithwch y brawddegau hyn:
1. Rydw i'n ysgrifennu at y rheolwr.
2. Mae e'n gas wrth y ferch.
3. Rydw i'n darllen llyfr da ar hanes Cymru.
4. Rydw i ar goll – rydw i'n chwilio am y pwll nofio.
5. Maen nhw'n siarad â phennaeth y coleg.
6. Rydyn ni'n ceisio gwrando.
7. Mae hi'n mynd â llyfr adref i'w ddarllen.
8. Mae e'n byw yma ers wyth mlynedd.

Cywirwch y treigladau yn y brawddegau hyn:
1. Rydw i'n ysgrifennu at brifathro'r coleg.
2. Mae e'n byw rhwng Caerdydd ac Abertawe.
3. Dydy hi ddim yn ceisio deall.
4. Rydyn ni'n darllen am fachgen o'r Fenni.
5. Dydyn nhw ddim yn gas wrth bawb.
6. Ydych chi'n byw ym Mhont-y-pridd?
7. Mae hi'n dod o Lanelli.
8. Dydy e ddim yn mynd i wersylla'n aml.

Arddodiaid Cam 2

Gorffennwch:
1. Ydych chi wedi clywed amdanyn nhw?
2. Rydw i'n gwybod amdano fe.
3. Maen nhw'n cofio amdanoch chi.
4. Ydyn nhw'n siarad amdanon ni?
5. Pwy sy'n meddwl amdani hi?
6. Does dim sôn amdani hi yn unman.

Cyfieithwch y brawddegau hyn:
1. Maen nhw'n cyrraedd am wyth o'r gloch.
2. Mae hi bob amser yn siarad amdanoch chi.
3. Maen nhw'n aros am ddwy awr.
4. Rhowch got amdanoch chi!/Gwisgwch got!
5. Mae hi am law heddiw./Mae hi'n mynd i fwrw glaw heddiw.
6. Am hynny, rhowch esgidiau glaw am eich traed!

Cyfieithwch y brawddegau hyn:
1. Mae hi'n darllen amdano fe yn y papur.
2. Mae hi'n gwneud hwyl am ben y dysgu.
3. Maen nhw'n anghofio am y drafferth neithiwr.
4. Rydyn ni'n rhoi cot amdanon ni – mae hi am law./Rydyn ni'n gwisgo cot – mae hi'n mynd i fwrw glaw.
5. Mae e'n dechrau am ddeuddeg o'r gloch, felly bydd rhaid i mi fynd am y tro.
6. Am beth mae hi'n siarad?
7. Mae e bob amser yn poeni am ei wallt.
8. Dydyn nhw ddim yn fand gwael, am wn i.

Cywirwch yr arddodiaid yn y brawddegau hyn:
1. Maen nhw wedi dweud y stori wrtho i.
2. Roedden nhw'n chwerthin am ben y bachgen bach.
3. Ysgrifennodd e'r llythyr at y prifathro.
4. Rydw i wedi clywed am Huw.
5. Roedd e wedi darllen y stori yn y papur amdani hi.
6. Beth mae e wedi ei ddweud amdana i?

7. Mae e wedi dweud wrth Huw am orffen y gwaith.
8. Roedden nhw wedi cyrraedd am ddeg o'r gloch.

Arddodiaid Cam 3

Rhowch un o'r ddau air isod yn y bylchau:

â, gyda

1. Gyda phwy fuest ti yn y ddawns?
2. Fuest ti'n siarad â Jac yno?
3. Beth wnest ti gyda'r nos?
4. Oeddet ti wedi trefnu cwrdd â Jac cyn mynd i'r ddawns?
5. Pam doeddet ti ddim gartre tan dri y bore? Fuest ti'n caru gyda fe ar ôl y ddawns?
6. Pryd ffarweliest ti â'th ffrindiau di?
7. Oeddet ti wedi cerdded adre gyda'r merched?
8. Gytunest ti i gwrdd â Jac eto?
9. Wnei di gytuno i beidio â chwrdd â Jac eto?
10. Ydy Jac wedi, ym, cyffwrdd â thi erioed?

Cywirwch y brawddegau hyn:

1. Roeddwn i'n siarad â fe.
2. Rydyn ni wedi mynd â llyfr i'r llyfrgell.
3. Ydych chi wedi coginio â'r sosban?
4. Roedd y ci'n ymladd â'r gath.
5. Oedden nhw wedi cerdded adre gyda hi?
6. Siaradodd e â ni trwy'r prynhawn.
7. Trawodd e ei fys â morthwyl.
8. Gyda phwy mae e'n caru?

Arddodiaid Cam 4

Cyfieithwch y brawddegau hyn:

1. Oes rhaid i fi weld y rheolwr?
2. Rydw i wedi llwyddo i agor cyfrif.
3. Mae hi wedi gadael iddo fe wneud y gwaith.
4. Roedd e'n tueddu i fod yn ddiog.
5. Addawodd e barti iddyn nhw.
6. Roedd hi'n braf eich gweld chi eto.
7. Roedd hi'n anodd iawn i ni dalu'r bil.
8. Gofynnodd (hi) i ni edrych ar y tŷ.

Cywirwch y brawddegau hyn:

1. Mae hi'n dda eich gweld chi.
2. Mae e wedi dysgu'r bachgen i nofio.
3. Roeddech chi wedi gofyn i Huw ddoe.
4. Mae e wedi chwarae rygbi i Gymru.
5. Ar ôl i'r bechgyn ddod adref, aethon nhw i'r gwely.
6. Roedd e eisiau i fi weld y llythyr.
7. Roedd e wedi diolch i Siân am wneud y cinio.
8. Mae hi'n gyfleus i'r plant fynd allan heno.

Arddodiaid Cam 5

Cyfieithwch y brawddegau hyn:

1. Rydw i'n synnu at brydferthwch y wlad.
2. Cofiwch fi ati hi!
3. Mae fy mam i'n tynnu at hanner cant.
4. Doedd y gyngerdd ddim at ddant pawb.

5. Er bod llawer o waith yn yr ardd, aeth e ati ar unwaith.
6. Ar ôl dychwelyd adref, ysgrifennodd e atyn nhw i ddiolch iddyn nhw.
7. Ydy'r gwyliau'n apelio atoch chi?
8. Cyfrannon nhw'n hael at yr apêl.

Llanwch y bylchau yn y brawddegau hyn:
1. Ysgrifennodd hi lythyr ata i.
2. Oedd y daith yn apelio atoch chi?
3. Anfonais i gerdyn post ati hi.
4. Daliwch ati!
5. Cofiwch fi atyn nhw!
6. Rhedodd hi ato fe.
7. Roedd y neges yn cyfeirio atoch chi.
8. At bwy maen nhw'n mynd?

Arddodiaid Cam 6

Cwblhewch:
1. Ydy America wedi ymosod arnyn nhw?
2. Ydy'r bai arnon ni?
3. Arnoch chi mae'r bai.
4. Rydw i'n gweld bai arnyn nhw.
5. Hon yw'r dref y mae'r bomiau wedi disgyn arni hi.
6. Mae arna i ddeg punt iddyn nhw.
7. Roedd arnoch chi bum punt i fi am y bwyd.
8. Mae hi'n wael iawn arnon ni.

Cyfieithwch y brawddegau hyn:
1. Roedd angen bwyd yn fawr arnyn nhw.
2. Ar ôl y gwyliau roedd dyled arnon ni.
3. Roedd ofn mawr ar y bobl.
4. Roedden ni'n dibynnu arnyn nhw i orffen gwaith.
5. Cafodd hi wared ar yr holl dystiolaeth.
6. Pan fethodd e'r arholiad, rhoddodd e'r bai ar yr ysgol.
7. Gwrandawodd y gwleidydd arnon ni, ond ddylanwadon ni ddim arno fe.
8. Pam rydw i bob amser ar fai?

Cywirwch y brawddegau hyn:
1. Gwnes i'r gwaith ar fy mhen fy hunan.
2. Roedd e wedi troi'r golau ymlaen.
3. Mae milwyr America wedi ymosod ar Iwgoslafia.
4. Aeth hi ar wyliau ar ei phen ei hun.
5. Rydyn ni'n edrych ymlaen at y gêm ddydd Sadwrn.
6. Chechnya yw'r wlad maen nhw wedi ymosod arni
7. Mae ein plant yn dod i ginio yma ar brydiau.
8. Maen nhw'n cyrraedd yfory ac yn galw arnon ni ddydd Sadwrn.

Arddodiaid Cam 7

Ysgrifennwch ffurf gywir y gair rhwng [ ]:
1. Roedd hi'n dweud rhywbeth wrtho fe wrth ddrws y clwb.
2. Roedd ei ffrindiau wedi bod yn gas wrthi hi a'i chariad.
3. Roedd hi wedi dweud wrthyn nhw ei bod hi'n cenfigennu wrthyn nhw.
4. Roedden nhw wedi bod yn gas iawn wrtho fe.
5. Mae hi'n bryd iddyn nhw ddweud y gwir wrthon ni.
6. Mae hi bob amser yn garedig iawn wrtho/wrthyf i.

Cywirwch y brawddegau hyn:
1. Roedd e'n gas iawn wrtho i.
2. Roeddwn i wedi dweud yr hanes wrth John.
3. Roedd hi wedi cyfaddef y cyfan wrtho i.
4. Peidiwch â dweud popeth wrth Siân.
5. Ydych chi wedi cael llythyr oddi wrth Huw bore 'ma?
6. Aeth hi i gysgu wrth wylio'r teledu.
7. Roedden nhw wrth eu bodd.
8. Roedd digon o fwyd wrth law, diolch byth.

Cyfieithwch y brawddegau hyn:
1. Faint o arian sy gynnon/gennyn/gyda ni wrth gefn?
2. Roedd hi'n garedig iawn wrth ei frawd.
3. Gwnaethon nhw'r gwaith wrth eu pwysau.
4. Gwelon ni'r castell wrth yrru o gwmpas Eryri.
5. Dywedon ni'r holl stori wrthyn nhw.
6. Diolch i chi am fod mor garedig wrthon ni.
7. Roedd hi wrth ei bodd wrth glywed y newyddion.
8. Ceision nhw fod yn gas wrtho i.

Arddodiaid Cam 8

Cyfieithwch y brawddegau hyn:
1. Gwnaeth hi'r gwaith drosto i.
2. Chwaraeodd e dros ei goleg sawl gwaith.
3. Alla i ddim ateb dros neb arall.
4. Gadewais i fy nillad ar y traeth, ond aeth y llanw drostyn nhw.
5. Allwch chi edrych drosto fe i fi?
6. Bydd rhaid i ni edrych ar y twf dros gyfnod sylweddol.
7. Ceisiodd e wneud argraff dda, ond aeth e dros ben llestri.
8. Er nad ydw i'n ei hoffi e, pleidleisiais i drosto fe.

Cyfieithwch y brawddegau hyn:
1. Derbyniais i'r newyddion drwyddo fe.
2. Cafodd e'r swydd drwyddoch chi, diolch byth.
3. Dywedodd e wrthi hi drwy ysgrifennu ati hi.
4. Mae e'n cwyno trwy'r amser.
5. Trwy lwc daethon ni drosti'n iawn.
6. Aeth e drwodd i'r gegin.
7. Darllenodd e drwy'r papur mewn dwy funud.
8. Pan fydda i wedi gorffen gydag e, bydd yn flin ganddo.

Cyfieithwch y brawddegau hyn:
1. Paid/Peidiwch â mynd hebddo i.
2. Cerddodd e i'r dref heb ddweud gair.
3. Dychwelodd hi adref heb weld y brifddinas.
4. Siaradodd e'n blwmp ac yn blaen heb aros am ateb.
5. Fy nhystysgrifau? Rydw i wedi dod hebddyn nhw!
6. Allwn i ddim fod wedi ei wneud e hebddot ti./Allwn i ddim fod wedi ei wneud e hebddoch chi.
7. Nhw heb os yw'r tîm gorau yng Nghymru.
8. Maen nhw'n fyfyrwyr nodweddiadol, heb ofal yn y byd.

Cyfieithwch y brawddegau hyn:
1. Oes unrhyw beth wedi dod rhyngoch chi?
2. Rhyngoch chi a fi, dydw i ddim yn credu bod llawer o obaith.

3. Rydyn ni wedi casglu digon o arian rhyngon ni i gyd.
4. Aethon ni allan rhwng chwech a saith o'r gloch.
5. Doedd dim llawer o wahaniaeth rhyngddo fe a'i chwaer.
6. Doedd dim digon o arian ganddyn nhw am bryd o fwyd rhyngddyn nhw.
7. Roedd y castell ar fryn rhwng y bont a'r llyn.
8. Ar ôl yr ymweliad dydyn nhw ddim wedi siarad â'i gilydd.

Arddodiaid Cam 9

Cyfieithwch y brawddegau hyn:
1. Oes unrhyw beth wedi dod ohono fe?
2. Enillon nhw o bum pwynt.
3. Rydw i'n dioddef o beswch o bryd i'w gilydd.
4. Ar ôl crwydro o le i le, ymsefydlodd e o'r diwedd.
5. Chymeron nhw ddim sylw ohonyn nhw.
6. Ydych chi wedi ei atgoffa ohono fe o'r blaen?
7. Roedd gormod o bobl yn gwneud astudiaethau o safbwyntiau/farn pobl.
8. Roedd e yn ôl pob tebyg o fantais.

Llanwch y bylchau yn y brawddegau hyn:
1. Ar ôl yr holl siarad, ddaeth dim byd ohono fe.
2. Roeddwn i eisiau gweld mwy ohoni hi.
3. Welais i mohonoch chi drwy'r nos.
4. Chymerodd hi ddim sylw ohonyn nhw.
5. Doedd dim siw na miw ohoni hi.
6. Lwyddon nhw ddim i gael gwybodaeth ohoni hi.
7. Fe wnaeth e fôr a mynydd ohono fe.
8. Roeddwn i'n dioddef ohono fe trwy'r dydd.

Arddodiaid Cam 10

Llanwch y bylchau yn y brawddegau hyn:
1. Dydw i ddim yn credu dim ynddo fe.
2. Celwydd yw'r stori – does dim gwir ynddi hi.
3. Dyma lun o'r duwiau roedd y Celtiaid yn credu ynddyn nhw.
4. Oes digon o le ynddi hi i ni gael cinio?
5. Y we? Dydw i ddim yn gweld dim lles ynddi hi.
6. Maen nhw'n teithio ynddo fe bob dydd.
7. Edrychais i yn y llyfrau ond doedd dim byd ynddyn nhw.
8. Mae ffydd gennyn ni ynot ti.

Rhowch 'yn' o flaen y llefydd hyn:
1. ym Mangor
2. yng Nghaerdydd
3. yn Nhaliesin
4. ym Mhen-y-bont
5. yng Ngarn-swllt
6. ym Manceinion
7. yn Ninbych
8. yng Nghreigiau

Arddodiaid Cam 11

Cyfieithwch y brawddegau hyn:
1. Mae'n dda gen i fod yn ôl.
2. Byddai'n well gen i weld senedd iawn yng Nghymru.
3. Mae'n flin gen i na fydd hi yma.

4. Cafodd y polisi ei ysgrifennu ganddyn nhw cyn yr etholiad.
5. Roedd cefn tost ganddi hi, felly cerddai hi'n ofalus.
6. Pa got sydd orau gennych/gynnoch chi?
7. Roedd yn dda ganddo fe fod cartref ganddyn nhw o'r diwedd.
8. Roedd cydwybod ddrwg gan y prifweinidog.

Cywirwch y brawddegau hyn:
1. Roedd llawer o fwyd gynnon/gennyn ni.
2. Doedd dim syniad gen i.
3. Oes pleidlais gynnoch/gennych chi yn yr etholiad?
4. Gan bwy mae'r hawl i bleidleisio?
5. Daethon nhw gyda fi/mi i'r dref.
6. Ysgrifennwyd y nofel gan yr awdur.
7. Ydy'r wisg gan Siân?
8. Mae'r gwaith i gyd gen i.

Arddodiaid Cam 12

Cyfieithwch y brawddegau hyn:
1. Aeth y ferch adref dan ganu.
2. Cawson nhw beth llwyddiant ar ôl astudio dano fe.
3. Roedden ni o dan gryn bwysau i basio.
4. Dydw i ddim yn aros amdanoch chi am byth.
5. Fydd hi byth yn pasio, hyd yn oed os bydd hi'n gweithio tan y flwyddyn nesaf.
6. Oes unrhyw un yn eich teulu wedi gweithio o dan y ddaear?
7. Roedd golygfa wych o danon ni.
8. Mae e'n llwyr o dan ei fawd hi.

Llanwch y bylchau ag arddodiaid addas:
1. Doedd dim coes o danyn nhw.
2. Roedd y papurau ar y llawr o dani hi.
3. Ydych chi wedi clywed amdano fe?
4. Arhosodd e trwy'r dydd amdani hi.
5. Rydw i'n astudio yn y coleg tan yr haf.
6. Roedd rhaid pasio – doedd dim byd arall amdani.
7. Oedd rhywun yn gweithio danoch chi?
8. Aeth hi allan o'r arholiad dan ganu.

Arddodiaid Cam 13

Dewiswch o blith y geiriau hyn wrth lenwi'r bylchau:
mewn, i mewn i, yn, ym
1. Roedd hi mewn pentref bach yng Nghymru.
2. Edrychodd hi i mewn i'r cwpan.
3. Rwy'n credu mewn ysbrydion.
4. Ydych chi'n credu yn Nuw?
5. Mae'r llyfrau i gyd yn llyfrgell y coleg.
6. Aethoch chi i'r dref mewn bws?
7. Roedd yr allwedd ym mhoced ei got.
8. Mae'r record yn siartiau Cymru ers wyth wythnos.

Cyfieithwch y brawddegau hyn:
1. Mae gormod o lyfrau yn Llyfrgell Genedlaethol Cymru.
2. Mewn rhai achosion, mae hi'n well chwilio'r we.
3. Roedd llawer o gamsyniadau/wallau yng ngwaith ei ffrind hi.
4. Pryd (g)welsoch/weloch chi wennol yn unrhyw ran o'r wlad?
5. Mae diddordeb mawr ganddyn nhw mewn ieithoedd.

6. Roedd hi mewn hwyliau drwg trwy'r dydd.
7. Yn y gaeaf, mae hi'n well bwyta bwyd twym unwaith y dydd.
8. Byddan nhw yng ngharchar am flynyddoedd.

Arddodiaid Cam 14

Cyfieithwch y brawddegau hyn:
1. Amddiffynnodd hi ei phlant rhag y ffliw.
2. Cysgodon nhw rhag y glaw.
3. Rydw i'n gwisgo cot rhag ofn y bydd hi'n bwrw glaw.
4. Maen nhw'n amddiffyn y caeau rhag effeithiau'r storm.
5. Rhag beth rydych chi'n cuddio?
6. Rydw i'n aros gartref – rhag ofn.
7. Rydyn ni i gyd am ffoi rhag tlodi.
8. Ffoion ni rhag y saethu.

Rhowch arddodiad addas yn y bylchau:
1. Roeddwn i'n cysgodi rhag y gwynt.
2. Doedd dim ffoi rhag y glaw.
3. Ydych chi wedi dioddef gan annwyd?
4. Gofynnon nhw am gymorth gan yr heddlu.
5. Cefais i lythyr oddi wrth fy chwaer.
6. Rhedodd hi ar frys o'r tŷ.
7. Doedd dim bai ar y plant.
8. Oes angen amddiffyn rhag y ffliw?

Arddodiaid Cam 15

Cyfieithwch y brawddegau hyn:
1. Es i yno er bod y tywydd yn ddrwg.
2. Mae hi yma er 1996.
3. Codon nhw'r gofgolofn er cof am y gwleidydd.
4. Mae e'n ei gadael hi, er gwell neu er gwaeth.
5. Rydyn ni wedi aros yno ers y gwanwyn.
6. Rydyn ni'n gwneud hyn er eich lles chi.
7. Cawson ni amser da er iddi hi fwrw glaw.
8. Prynon nhw'r tŷ er gwaethaf maint yr ardd.

Rhowch ymadrodd addas yn y bylchau. Dewiswch o blith y rhain:
er hynny, er lles, er bod, erstalwm, ers amser, er mwyn popeth, er iddi, er cof
1. Rhoddodd yr athro waith ychwanegol er lles y dosbarth.
2. Roedden nhw'n hoffi mynd i'r eisteddfod erstalwm.
3. Er bod y tywydd yn ddrwg, aethon nhw i'r traeth.
4. Maen nhw'n cynnal gwasanaeth er cof am y rhai oedd wedi marw yn y ddamwain.
5. Gadewch lonydd iddi hi, er mwyn popeth.
6. Aeth e at y meddyg, ond wnaeth e ddim gwella er hynny.
7. Dydw i ddim wedi gweld fy mrawd ers amser.
8. Doedd hi ddim yn hapus er iddi hi ennill y gêm.

Arddodiaid Cam 16

Cyfieithwch y brawddegau hyn:
1. Arhoson nhw yn y sinema trwy gydol y ffilm.
2. Aethon ni yno yn ystod yr haf.
3. Maen nhw ar fin gorffen y gwaith.
4. Aeth y Sais i fyny'r bryn a daeth i lawr y mynydd.
5. Bydd y bws yma cyn pen dim.

6. Beth ydych chi'n mynd i'w wneud, yn wyneb yr anawsterau?
7. Tynnodd e hi gerfydd ei gwallt.
8. Mae mwy o bobl ifanc yn siarad Cymraeg erbyn hyn.

Llenwch y bylchau isod â'r ymadroddion hyn:
yn anad neb, yn ystod, yn rhinwedd ei swydd, yn wyneb, yn erbyn, trwy gydol, cyn pen, ar fin
1. Roedd hi'n bwrw glaw trwy gydol yr haf.
2. Maen nhw ar fin symud tŷ.
3. Mae'r senedd yn dod i ben cyn pen y mis.
4. Yn wyneb yr anawsterau, aethon nhw ddim.
5. Fe, yn anad neb, oedd yn gyfrifol am y llwyddiant.
6. Roedd rhaid iddi hi fod yno yn rhinwedd ei swydd.
7. Roedden nhw wedi pleidleisio yn erbyn y cynnig.
8. Doedd dim byd yn digwydd yn y senedd yn ystod y gwyliau.

Arddodiaid Cam 17

Rhowch arddodiad addas yn y bylchau hyn a'i newid i gytuno â'r rhagenw os oes angen.
Dewiswch o blith y rhain:
heblaw, erbyn i, tuag at, tu mewn i, heibio i, ynglŷn â, heblaw, ar wahân i
1. Roedd y sefyllfa wedi ei datrys erbyn i ni streicio.
2. Roedd y perchennog yn gas tuag atyn nhw.
3. Arhosodd pawb gartref heblaw fi.
4. Aeth pawb ar streic ar wahân i chi.
5. Roedd y ffatri ar gau: cerddodd y gweithwyr heibio iddi hi.
6. Doedd neb yn gweithio tu mewn iddi hi heddiw.
7. Gall pawb streicio heblaw'r heddlu.
8. Dydyn ni'n gwybod dim ynglŷn â'r streic.

Cywirwch y brawddegau hyn:
1. Dydyn ni ddim wedi clywed am y streic.
2. Rhedodd y gweithwyr i mewn i'r gwaith.
3. Protestiodd y dynion nes iddyn nhw ennill.
4. Cerddodd y merched i lawr y mynydd.
5. Dringon ni i fyny'r bryn.
6. Aeth hi i Ffrainc yn ystod y gwyliau.
7. Byddwn ni'n gorffen y gwaith cyn pen blwyddyn.
8. Roedd hiraeth arni pan oedd hi ar fin gadael.

Arddodiaid Cam 18

Cywirwch y brawddegau hyn:
1. Maen nhw wedi gwneud y gwaith ar fy nghyfer i.
2. Chwarddodd e am fy mhen i.
3. Eisteddodd y ferch yn ein hymyl ni.
4. Cariodd y sach ar ei gefn e.
5. Ydych chi'n mynd i chwarae yn ei lle hi?
6. Roedd y tywydd yn ddrwg, yn eu hôl nhw.
7. Mae rhai gweithwyr da yn eu plith nhw.
8. Mae e ar ein hochr ni bob tro, chwarae teg.

Rhowch ffurf gywir yr arddodiad yn y brawddegau hyn:
1. Coginiodd e'r bwyd er ei mwyn hi.
2. Does gen i ddim byd yn eu herbyn nhw.
3. Gwnaeth e'r gwaith yn fy lle i.
4. Roedd coedwig fawr ar ei bwys e.
5. Codon nhw siop yn eu hymyl nhw.

6. Roedd llawer o dlodi yn eu mysg nhw.
7. Diolch bod to uwch fy mhen i.
8. Does dim un chwaraewr da yn eu plith nhw.

Arddodiaid Cam 19

Cywirwch y brawddegau hyn:
1. Cerddodd e yn ôl i'w dŷ dŷ ef.
2. Roedden nhw wedi rhedeg o'u hamgylch nhw.
3. Cyrhaeddodd e'r coleg o'i blaen hi.
4. Siaradodd hi'n gryf iawn o'm plaid i.
5. Gorffennodd hi'n gynnar o'i herwydd ef.
6. Rhedon ni'n syth i'w canol nhw.
7. Doedd neb o'm blaen i yn y rhes.
8. Mae rhyw ddillad od o'th gylch di heddiw.

Rhowch y rhagenwau ar ôl neu ynghanol yr arddodiaid yn y brawddegau hyn:
1. Fe wnaeth e'r gwaith er fy mwyn i.
2. Rhedodd hi'n gyflym ar eu hôl nhw.
3. Roedd hi wrth ei bodd yn eu canol nhw.
4. Daeth yr arlywydd i gerdded yn ein mysg ni.
5. Roedd pawb yn bresennol heblaw chi.
6. Taflodd hi'r llyfr tuag ato ef.
7. Roedd yr etholaeth yn gadarn iawn o'm plaid i.
8. Rhedodd hi i'w canol nhw.

Y Fannod Cam 1

Dywedwch yn Gymraeg:
1. coler cath
2. troed ceffyl
3. coes buwch
4. caws gafr
5. cig oen
6. bwyd cath
7. gwely cath
8. cynffon ci
9. anifail fferm

Y Fannod Cam 2

Rhowch ffurf gywir y fannod yn y bylchau hyn:
1. Dydw i ddim yn gallu dod o hyd i'r llyfrgell.
2. Mae'r castell wrth y parc, ond ble yn y byd mae'r llyfrgell?
3. Ydy hi wrth yr eglwys? Ydy hi wrth y sinema?
4. "Esgusodwch fi." "Fi?" "Ie, chi. Ble mae'r llyfrgell, os gwelwch yn dda?"
5. "Y llyfrgell? Llyfrgell y coleg?"
6. "Nage, llyfrgell y dre."
7. "Wel, ewch i'r chwith, at yr ysgol. Wedyn trowch i'r heol ar y dde, at yr afon.
8. Wrth yr afon trowch i'r chwith eto, ac mae'r llyfrgell ar yr heol wrth yr ysbyty, ar y dde."

Cywirwch y brawddegau hyn:
1. Rydw i'n mynd i'r llyfrgell heno.
2. Ydy'r sinema wrth yr afon?
3. Maen nhw'n mynd i weld yr eglwys, y castell a'r farchnad.
4. Trowch i'r chwith, os gwelwch yn dda.
5. Ewch i'r dde ar y sgwâr.

6. Ble mae'r ganolfan siopa?
7. Neidiodd hi dros y wal fawr.
8. Cerddon nhw o'r gwesty i'r afon.

Y Fannod Cam 3

Cywirwch y brawddegau hyn:
1. Mae afon Hafren yn llifo i Fôr Hafren.
2. Mae'r Almaen, yr Eidal a'r Swistir yn yr Undeb Ewropeaidd.
3. Es i i Fangor, y Barri a'r Bala'r haf yma.
4. Beth ydych chi am ei wneud yn ystod gwyliau'r Pasg?
5. Rydw i'n edrych ymlaen at y gwanwyn eleni.
6. Roedden ni'n hedfan dros Fôr India ar y ffordd i Awstralia.
7. Yn yr haf, maen nhw'n treulio eu gwyliau yn Sbaen.
8. Roedd hi bob amser yn siarad yng Nghymraeg Sir Benfro.

Cyfieithwch y brawddegau hyn:
1. Aeth e o'r Bala i'r Barri mewn un diwrnod.
2. Ydych chi'n byw yn yr Almaen neu yn yr Eidal?
3. Rydw i'n edrych ymlaen at yr haf.
4. Aethon ni i'r eglwys adeg y Pasg.
5. Rydw i'n hoffi pysgota yn afon Taf.
6. Ble mae'r Aifft? Mae hi i'r dwyrain o Libya.
7. Maen nhw eisiau mynd i ogledd Cymru dros y Nadolig.
8. Ble rydych chi'n mynd yn y gaeaf?

Y Fannod Cam 4

Cyfieithwch y brawddegau hyn:
1. Mae e'n costio un bunt pum deg ceiniog y kilo.
2. Gyrrodd e chwe deg milltir yr awr.
3. Mae ugain y cant yn siarad Cymraeg.
4. Gwnaethon nhw ugain ceiniog o elw y dorth.
5. Mae'r papur yn costio un bunt y copi.
6. Maen nhw am gael ugain punt y tocyn.
7. Rydyn ni'n eu gwerthu nhw am ddwy bunt yr un.
8. Faint yr awr mae hi'n ei godi?

Rhowch ymadroddion addas yn y brawddegau hyn. Dewiswch o blith y rhain:
y peint, yr un, y copi, y cant, yr awr, y botel, yr wythnos, y,
1. Mae hi'n eu gwerthu nhw am bunt yr un.
2. Roedd hi'n gyrru saith deg milltir yr awr.
3. Roedd y llyfr yn cael ei werthu am ddeg punt y copi.
4. Fe wnaeth hi elw o 20c y dorth.
5. Mae 80 y cant yn siarad Cymraeg yng Nghwm Sianco.
6. Ydych chi'n gwerthu gwin am bum punt y botel?
7. Mae llaeth yn costio pum deg ceiniog y botel.
8. Roedd hi'n galw bob dydd Sul: unwaith yr wythnos felly.

Y Fannod Cam 5

Cyfieithwch y brawddegau hyn:
1. Mae pump y cant o boblogaeth Cymru wedi dioddef o'r ffliw y gaeaf hwn.
2. Mae dau ddeg pump y cant o boblogaeth gogledd Cymru wedi cael y frech goch.
3. Mae deg y cant o blant de Cymru wedi cael brech yr ieir.
4. Mae nifer fawr o hen lowyr yn dioddef o glefyd y galon.
5. Rydyn ni am gael digon o welyau yn yr ysbytai i ddelio â'r pas.

6. Rydw i'n dioddef o dwymyn y gwair yn yr haf.
7. Ces i'r frech goch pan oeddwn i'n ddeg.
8. Oes rhywbeth gyda chi yn erbyn llwnc tost?/Oes rhywbeth gyda chi i drin dolur gwddf?

Cywirwch y brawddegau hyn:
1. Mae e'n dioddef o'r frech goch.
2. Mae peswch arna i.
3. Oes gyda chi rywbeth yn erbyn pen tost?
4. Ydych chi'n ofni cael annwyd?
5. Pryd dechreuoch chi ddioddef o gefn tost?
6. Oes annwyd arnoch chi?
7. Cafodd hi'r frech Almaenig pan oedd hi'n fach.
8. Bu e farw o glefyd y galon.

Y Fannod Cam 6

Cyfieithwch y brawddegau hyn:
1. Roedd e yng ngharchar am wyth mlynedd.
2. Beth ydych chi'n ei wneud yn y gwaith?
3. Roedd hi'n mynd i'r capel yn rheolaidd.
4. Aethon ni i gyd i'r gwely'n gynnar.
5. Ar ôl y ddamwain roeddwn i yn yr ysbyty am wythnos.
6. Ydych chi'n mynd i'r coleg heddiw?
7. Maen nhw'n mynd yno gyda'r bws.
8. Roedd ei phais hi yn y golwg.

Cywirwch y brawddegau hyn:
1. Ewch i'r gwely ar unwaith.
2. Dydw i ddim yn mynd i'r capel yn awr.
3. Aethoch chi i'r dref ddoe?
4. Roedd ei ddillad isaf yn y golwg.
5. Cadwon nhw hi yn yr ysbyty am wythnos.
6. Beth yw *exercise* yn Gymraeg?
7. Bydden nhw'n mynd i'r eglwys bob wythnos.
8. Daeth e allan o'r carchar ar ôl dwy flynedd.

Ansoddeiriau Cam 1

Cyfieithwch y brawddegau hyn:
1. Y ffilm ydy'r/yw'r unig raglen dda heno.
2. Mae'r holl raglenni heno yn Gymraeg.
3. Pwy ydy'r/yw'r brif actores yn y ffilm?
4. Maen nhw'n dangos hen ffilmiau unwaith eto.
5. Drama gyffrous? Beth am yr actio truenus?
6. Pa brynhawn maen nhw'n ffilmio?
7. Pwy yw'r prif ddarllenydd newyddion heno?/Pwy yw darllenydd y prif newyddion heno?
8. Mae rhai pobl yn gwylio tair opera sebon y nos.

Newidiwch oddrych y brawddegau hyn yn fenywaidd, gan dreiglo'r ansoddair os oes angen:
1. Mae'r ferch fach yn hoffi chwarae.
2. Mae'r fenyw dew yn bwyta trwy'r amser.
3. Ble mae'r fam gydwybodol?
4. Hi yw'r brif actores.
5. Mae fy modryb gyfoethog yn dod i ginio.
6. Mae ei hoff gyfnither yn galw heno.
7. Pwy yw'r ysgrifenyddes weithgar?
8. Mae'r merched tlawd yn chwilio am ddillad.

Ansoddeiriau Cam 2

Cyfieithwch y brawddegau hyn:
1. Pwy sy'n chwarae rhan y wraig unig?
2. Roedden nhw'n dangos gwahanol raglenni trwy'r nos.
3. Roedd eliffant iawn ar y llwyfan./Roedd eliffant gwirioneddol ar y llwyfan.
4. Enwch eich hoff raglen a'ch cas raglen.
5. Gyda phob parch, roedd hi'n ffilm gwbl ofnadwy.
6. Dim ond brith gof o'r ddrama sy gen i.
7. Ni ydy'r unig bobl yn y gynulleidfa.
8. Mae ganddi lais ardderchog ond acen ofnadwy.

Rhowch ansoddair addas yn y bylchau. Dewiswch o blith y rhain:
hollol, unig, cwbl, gwahanol, cas, gwirioneddol, hoff, gwir
1. Roedd y ddrama'n hollol/gwbl anniddorol.
2. Pa un yw eich hoff raglen?
3. S4C yw'r unig sianel sy'n dangos y gêm.
4. Mae gwahanol fathau o operâu sebon ar y teledu.
5. Mae'r ffilm wedi ei seilio ar berson gwirioneddol.
6. Rydw i wedi clywed yr esgus. Ond beth oedd y gwir reswm?
7. Reg yw ein cas actor. Mae e'n anobeithiol.
8. Roedd hi'n gwbl/hollol amhosibl ei deall hi'n siarad.

Ansoddeiriau Cam 3

Cywirwch y brawddegau hyn:
1. Roedd y briodferch yn gwisgo gwisg wen, hir.
2. Mae'r Blaid Werdd yn boblogaidd yn yr Almaen.
3. Mae hi'n gwisgo sgert fer.
4. Merch fechan yw Mary.
5. Gwlad lom yw Sudan.
6. Mae ganddi hi het felen ar ei phen.
7. Bydd y Gymraeg yn iaith gref unwaith eto.
8. Arhosodd hi am awr fer.

Cyfieithwch y brawddegau hyn:
1. Prynais i fe ar y farchnad ddu./Prynais i hi ar y farchnad ddu.
2. Allwn i ddim codi'r gadair drom.
3. Roedd coeden werdd ger/wrth y tŷ.
4. Roedd ganddi hi sgert fer.
5. Ydych chi wedi darllen *Seren Wen ar Gefndir Gwyn?*
6. Ydy, mae hi'n nofel wych, ond dydw i ddim yn ei deall hi.
7. Ydych chi wedi cael y frech goch?
8. Roedd hi'n gweithio i'r Groes Goch.

Ansoddeiriau Cam 4

Trowch yr enwau a'r ansoddeiriau i'r lluosog:
1. Roedd afalau cochion/coch ar y bwrdd.
2. Rwy'n hoffi bwyta tatws pob.
3. Roedd y ffermwyr cryfion/cryf yn gweithio yn y caeau.
4. Mae'r Gymraeg yn un o ieithoedd bach y byd.
5. Mae gan y wlad drefi mawrion/mawr.
6. Roedd gerddi hirion/hir o flaen y tai.
7. Adroddiad ar addysg yng Nghymru yn 1847 yw'r Llyfrau Gleision.
8. Mae Cymru'n cael ei disgrifio'n wlad y menig gwynion.

Rhowch ffurf luosog yr ansoddeiriau hyn, os oes ganddyn nhw un:
1. crynion
2. gwynion
3. cochion
4. meddal
5. bach
6. bychain
7. mawrion
8. gleision
9. cryfion
10. melynion
11. tal
12. duon

Ansoddeiriau Cam 5

Cywirwch y brawddegau hyn:
1. Roedd y gwasanaeth yn y siop fach mor gyflym ag yn yr archfarchnad.
2. Mae'r bwyd yn y cigydd mor flasus â'r cig yn y farchnad.
3. Mae'r llawr mor lân â'r bwrdd.
4. Mae orenau mor iachus ag afalau.
5. Roedd y lle mor frwnt â thwlc mochyn.
6. Mae'r ffilm mor ddiddorol â'r llyfr.
7. Roedd y moron mor rhad â'r tatws.
8. Mae'r gwasanaeth cynddrwg â'r bwyd.

Lluniwch frawddegau'n cymharu'r rhain:
e.e. Mae'r siop fach mor rhad â'r farchnad.
1. Mae'r ffilm mor ddiddorol â'r llyfr.
2. Mae'r cig mor rhad â'r pysgod.
3. Mae'r farchnad mor ddrud â'r siop.
4. Mae'r menyn mor flasus â'r margarîn.
5. Mae'r bws mor llawn â'r trên.
6. Mae'r car mor gyflym â'r bws.
7. Mae'r ferch mor dal â'r bachgen.
8. Mae'r cig mor wydn â lledr.

Ansoddeiriau Cam 6

Cyfieithwch y brawddegau hyn:
1. Mae Cymru'n fwy cyfoethog na llawer o wledydd bach eraill.
2. Mae'r tywydd yn fwy oer yn yr haf nag yn y gaeaf./Mae'r tywydd yn oerach yn yr haf nag yn y gaeaf.
3. Dydy gwledydd y trydydd byd ddim yn fwy diwydiannol na gwledydd y gorllewin.
4. Dydy tlodi yn y wlad ddim yn waeth na thlodi yn y dref.
5. Mae'r mynyddoedd bob amser yn fwy oer na'r cymoedd.
6. Mae bywyd yn y wlad yn llai cymhleth na bywyd yn y ddinas.
7. Mae Affrica'n gyfandir mwy cyfoethog nag Ewrop.
8. Mae incwm gyrwyr tacsi'n fwy nag incwm ffermwyr.

Lluniwch frawddegau gan ddefnyddio'r elfennau hyn:
1. Mae Lloegr yn fwy poblog na Chymru.
2. Mae Cymru'n fwy diwydiannol nag Iwerddon.
3. Mae'r Swistir yn fwy mynyddig na'r Iseldiroedd.
4. Mae'r Almaen yn fwy cyfoethog na Groeg.

5. Mae Gwlad Belg yn fwy gwastad na Chymru.
6. Mae Cymru'n llai gwledig nag Iwerddon.
7. Mae'r Swistir yn llai tlawd na Swdan.
8. Mae Sweden yn fwy coediog na Denmarc.

Ansoddeiriau Cam 7

Cyfieithwch y brawddegau hyn:
1. Hi oedd y fwyaf cryf o'r ddwy./Hi oedd y gryfaf o'r ddwy.
2. Nhw oedd y rhedwyr mwyaf cyflym yn y ras./Nhw oedd y rhedwyr cyflymaf yn y ras.
3. Er mai ni yw'r gorau, chawson ni mo'n dewis.
4. Enilloch chi'r ras? Naddo, fi oedd y trydydd.
5. Pa adeilad yw'r mwyaf uchel yn Efrog Newydd?
6. Y newyddion Cymraeg yw'r mwyaf diddorol.
7. Y llanw yn Abertawe yw'r ail uchaf yn y byd.
8. Dyna'r peth mwyaf trist rydw i wedi ei glywed eleni./Dyna'r peth tristaf rydw i wedi ei glywed eleni.

Lluniwch frawddegau'n cynnwys yr elfennau hyn:
e.e. Everest ydy'r mynydd mwyaf uchel yn y byd.
1. Y Swistir yw'r wlad fwyaf cyfoethog yn Ewrop.
2. Yr Wyddfa yw'r mynydd mwyaf uchel yng Nghymru.
3. Caerdydd yw'r ddinas fwyaf poblog yng Nghymru.
4. Gwyddoniaeth yw'r pwnc mwyaf diflas yn yr ysgol.
5. Sioned yw'r ferch fwyaf prydferth yn y dosbarth.
6. John yw'r rhedwr mwyaf cyflym yn y ras.
7. Yr Alban yw'r wlad fwyaf mynyddig ym Mhrydain.
8. Rygbi yw'r gêm fwyaf poblogaidd yng Nghymru.

Ansoddeiriau Cam 8

Cyfieithwch y brawddegau hyn:
1. Mae ynni niwclear yn arbennig o beryglus.
2. Mae gwastraff niwclear yn ofnadwy o wenwynig.
3. Mae plwtoniwm yn eithriadol o beryglus.
4. Mae teledu'n gallu bod yn anhygoel o ddiflas.
5. Mae pŵer gwynt yn hynod o ddiogel.
6. Roedd y ferch yn ddifrifol o sâl.
7. Mae nwy'n gallu bod yn rhyfeddol o ddefnyddiol.
8. Mae cludo olew'n aruthrol o anodd.

Cywirwch y brawddegau hyn:
1. Mae ynni niwclear yn ofnadwy o beryglus.
2. Rydyn ni'n defnyddio llawer gormod o drydan.
3. Mae ynni naturiol yn hynod bwysig i ddyfodol y byd.
4. Mae dibynnu ar un math o ynni'n ddifrifol o ffôl.
5. Ydych chi'n gwybod bod ynni niwclear yn beryglus iawn?
6. Mae tanau glo'n gallu bod yn beryglus dros ben.
7. Os ydy nwy yn gollwng, mae'n gallu achosi damweiniau eithriadol o gas.
8. Mae ynni gwynt yn fwy diogel nag ynni niwclear.

Ansoddeiriau Cam 9

Rhowch ansoddeiriau gwrthwyneb eu hystyr yn y brawddegau hyn:
1. Roedd y noson yn ddiflas iawn.
2. Mae'r trefniadau teithio'n anghyfleus.
3. Maen nhw'n credu eu bod nhw'n ddibwys.

4. Roedd hi'n ymddwyn mewn ffordd weddus iawn.
5. Ydy'r cwpwrdd yn dal yn anhrefnus?
6. Rydw i'n barod i helpu fy ngholeg newydd.
7. Mae'r cinio'n ddi-flas iawn.
8. Mae hi wedi mynd yn ferch annibynnol iawn.

Newidiwch yr ansoddeiriau yn y brawddegau hyn, gan ddefnyddio rhai gwrthwyneb o ran ystyr:
1. Roedd y chwaraewyr yn ddiamynedd iawn.
2. Roedd y dyfarnwr yn amhrofiadol dros ben.
3. Doedd y gôl gyntaf ddim yn bwysig.
4. Gwnaeth hi'r gwaith yn ddiofal.
5. Mae'r stori'n un ddiystyr.
6. Maen nhw'n bobl anhrefnus.
7. Nhw yw'r rhai mwyaf didwyll yn y dref.
8. Mae hi'n ferch annheimladwy iawn.

Ansoddeiriau Cam 10

Cyfieithwch:
1. Y llyfr rhad ei olwg.
2. Pryd wedi ei baratoi'n ardderchog.
3. Bwyd wedi ei goginio'n wych.
4. Llythyr wedi ei ysgrifennu'n glyfar.
5. Pont wedi ei hadeiladu'n gadarn.
6. Nant gyflym ei llif.
7. Nofel ar ei hanner./Nofel wedi ei hanner darllen.
8. Darlun wedi ei beintio'n ardderchog.

Rhowch ymadroddion addas yn y bylchau. Dewiswch o blith y rhain:
ychydig bach, ddim hanner da, ychydig bach yn rhy, cymharol rad, ddim hanner call, lled dda, hollol benderfynol, dros ben
1. Roedd y siwt yn rhy gostus i fi, felly phrynais i mohoni hi.
2. Roedd y crysau'n rhad dros ben, felly prynais i bump.
3. Roedd y sgert ychydig bach yn fach, felly es i â hi yn ôl i'r siop.
4. Mae'r siop hon yn gymharol rad, felly rwy'n prynu yno'n eithaf aml.
5. Rydw i'n teimlo'n lled dda, rydw i bron wedi gwella.
6. Mae e yn y gwely o hyd – dyw e ddim hanner da.
7. Aethoch chi i nofio ddydd Nadolig? Dydych chi ddim hanner call.
8. Rydw i'n hollol benderfynol o wneud y gwaith yn iawn y tro hwn.

Ansoddeiriau Cam 11

Newidiwch y brawddegau hyn, gan ddilyn y patrwm hwn:
e.e. Mae modd bwyta'r cig. Mae'r cig yn fwytadwy.
1. Mae'r effaith yn weladwy.
2. Mae'r gwin yn yfadwy.
3. Mae'r gwahaniaeth yn weladwy.
4. Mae'r perfformiad yn gofiadwy.
5. Mae'r llyfr yn ddarllenadwy.
6. Roedd y neges yn ddealladwy.
7. Roedd y stori'n gredadwy.
8. Roedd y caws yn fwytadwy.

Cyfieithwch y brawddegau hyn:.
1. Roedd y bwyd yn fwytadwy ond doedd y dŵr ddim yn yfadwy.
2. Mae'r gerddoriaeth yn ddymunol, a'r actorion yn alluog iawn.
3. Mae'r Cymry'n credu eu bod nhw'n bobl ddiwylliedig iawn.

4. Er bod y ffilm yn ofnadwy, cawson ni noson foddhaol.
5. Mae corff etholedig yn well nag un detholedig.
6. Peidiwch â siarad â mi am wleidyddion. Maen nhw i gyd yn llygredig.
7. Twf cynaladwy? Beth yw ystyr hynny?
8. Roedd hi'n fenyw garedig, freuddwydiol.

Ansoddeiriau Cam 12

Cywirwch y brawddegau hyn:
1. Mae chwaraewyr Cymru heddiw cynddrwg â phlant.
2. Dydy'r swper ddim cystal â'r cinio.
3. Roedd y gwaith cartref cyn hawsed â'r gwaith dosbarth.
4. Mae siop Aldo cyn rhated â'r archfarchnad.
5. Fydd y tywydd eleni ddim cyn syched â'r tywydd y llynedd.
6. Dydy hi ddim wedi bwrw cymaint eleni.
7. Dydy'r ffilm ddim hanner cystal â'r llyfr.
8. Roedd y ferch cyn lleied â'i mam.

Newidiwch ffurfiau cwmpasog yr ansoddeiriau hyn yn ffurfiau cryno:
1. Mae'r ganrif hon cyn wlyped â'r ganrif ddiwethaf.
2. Bydd y tywydd cyn boethed â'r haf.
3. Roedd y gwanwyn cyn fyrred â'r gaeaf.
4. Dydy'r hinsawdd ddim cyn oered ag y buodd.
5. Doedd y tymheredd ddim cyn ised â ddoe.
6. Dydy'r Wyddfa ddim cyfuwch â'r Alpau.
7. Ydy Affrica cyn boethed ag India?
8. Mae'r haf yng Nghymru cyn fyrred â'r gaeaf yn Awstralia.

Ansoddeiriau Cam 13

Cyfieithwch y brawddegau hyn:
1. Ydy Cader Idris yn uwch na Phumlumon?
2. Mae castell Harlech yn llai na Chaernarfon, ond mae e'n bertach.
3. Mae hi'n ddoethach na'i brawd.
4. O'r ddwy dref, Pwllheli yw'r bertaf.
5. Roedd e'n well bardd na'i dad.
6. Roedd yr afon yn llawer lletach wrth y môr.
7. Mae Casnewydd yn is na Phontypridd yn y cynghrair.
8. Mae gwin Hwngaria'n gochach ac yn sychach na gwin Ffrainc.

Newidiwch ffurfiau cwmpasog yr ansoddeiriau yn ffurfiau cryno:
1. Mae'r wlad yn iachach na'r dref.
2. Ydy Caerdydd yn bertach na Wrecsam?
3. Mae Blaenau Ffestiniog yn wlypach na Chasnewydd.
4. Mae ceffyl yn gallu rhedeg yn gynt na chi.
5. Mae hi'n rhatach teithio ar y bws.
6. Roedd wyneb y ferch yn wynnach na phapur.
7. Roedd y bachgen yn iau na'i chwaer.
8. Roedd y nos yn dduach na bola buwch.

Ansoddeiriau Cam 14

Newidiwch ffurfiau cwmpasog yr ansoddeiriau yn ffurfiau cryno:
1. Yr Wyddfa yw'r mynydd uchaf yng Nghymru.
2. Beth yw'r ffordd hawsaf o ddysgu Cymraeg?
3. Prynais i'r dillad drutaf yn y siop.
4. Pa un yw'r bryn isaf?

5. Neithiwr oedd noson dywyllaf y gaeaf.
6. Mae hi'n tyfu'r tomatos cochaf yn yr ardal.
7. Fy nhad-cu yw'r person hynaf yn y gogledd.
8. Dydy ei char hi ddim yn un o'r cyflymaf.

Rhowch ansoddair addas yn y bylchau. Dewiswch o blith y rhain:
hynaf, uchaf, cyntaf, gorau, gwlypaf, nesaf, gwaethaf, sychaf
1. Yr Wyddfa yw'r mynydd uchaf yng Nghymru.
2. Methwsela yw'r person hynaf yn y Beibl.
3. Gwnaeth hi ei gorau glas dros ei mam.
4. Y cyntaf i'r felin gaiff falu.
5. Mis Tachwedd yw mis gwlypaf y flwyddyn.
6. Mis Mehefin yw'r mis sychaf, fel arfer.
7. Er gwaethaf popeth, fe basiodd hi'r arholiad.
8. Dydw i ddim yn hoff iawn o bobl drws nesaf.

Cyfieithwch y brawddegau hyn:
1. Roedd hi'n llawer gwell na'i brawd yn yr ysgol.
2. Gweithion nhw'n galetach heddiw na ddoe.
3. Fe, yn amlwg, yw'r gorau o'r ddau ymgeisydd.
4. Beth bynnag yw eu barn nhw amdano fe, bydd rhaid iddyn nhw wneud y gwaith.
5. Po fwyaf o bobl sydd yma, mwyaf oll o fwyd bydd rhaid i ni ei goginio.
6. Pa mor ofalus bynnag ydyn ni, byddwn ni bob amser yn gwneud camsyniadau.
7. Gwynfor Evans oedd Cymro mwyaf yr ugeinfed ganrif.
8. Mae hi'n llawer gwell aros gartref os ydych chi'n sâl.

Ansoddeiriau Cam 15

Cyfieithwch y brawddegau hyn:
1. Po fwyaf o bobl sy'n hela, mwyaf oll yw'r perygl i anifeiliaid.
2. Po fwyaf yw'r perygl, mwyaf oll mae e'n hoffi dringo./Po fwyaf yw'r perygl, mwyaf hoff yw e o ddringo.
3. Po fwyaf o bobl sy'n prynu yn y siop, rhataf oll fydd y dillad.
4. Po amlaf rydw i'n gweld y ffilm, mwyaf oll rydw i'n ei hoffi.
5. Gorau po gyntaf mae e'n gwneud y gwaith.
6. Pa ffordd bynnag rydych chi'n edrych arno, dydy e ddim yn gwneud synnwyr.
7. Po gyntaf rydych chi'n yfed, cyflymaf rydyn ni'n gallu gadael.
8. Pa mor ddrud bynnag ydy e, rydw i'n mynd i'w brynu e.

Rhowch yr ymadroddion hyn yn y bylchau:
gorau oll, po fwyaf, beth bynnag, pa faint bynnag, pa mor, po leiaf, lle bynnag, pryd bynnag
1. Pryd bynnag rydw i'n mynd i'r gwely, rydw i'n blino wrth godi.
2. Gorau po fwyaf o bobl fydd yn dod i'r parti.
3. Po fwyaf rydw i'n ymarfer, gorau oll rydw i'n chwarae.
4. Rydw i am brynu hwn, beth bynnag yw'r pris.
5. Pa mor ddrud bynnag ydy e, mae hi am ei gael.
6. Gorau po leiaf rydw i'n clywed amdanyn nhw.
7. Mae'r wlad yn braf, lle bynnag rydych chi'n mynd.
8. Mae hi mor oer, byddwch chi'n rhewi pa faint bynnag byddwch chi'n ei wisgo.

Enwau Cam 1

Rhowch y geiriau hyn ar ôl un o'r ddau air isod:

y, yr
1. y fam yng nghyfraith
2. yr ast
3. y fam-gu
4. y cefnder
5. y cwrcyn
6. y gyfnither
7. y tarw
8. y gath
9. yr ardd
10. yr hwch
11. y ddafad
12. y fuwch
13. y mochyn
14. y chwaer
15. y brawd
16. y fodryb

Cywirwch y brawddegau hyn:
1. Mae dwy chwaer ac un brawd gen i.
2. Mae tri chi a dwy gath yn y tŷ.
3. Mae dwy ystafell wely yn ein tŷ ni.
4. Dim ond un llong oedd ar y môr.
5. Rydyn ni'n chwilio am dŷ gyda thair ystafell.
6. Roedd y ddwy ferch wedi gadael y tŷ.
7. Mae un ferch ac un mab ganddyn nhw.
8. Dydyn ni ddim wedi gweld y fenyw lanhau.

Enwau Cam 2

Cyfieithwch y brawddegau hyn:
1. Mae'r bobl yn gweithio'n galed.
2. Mae'r llyfrgellydd wedi darllen rhai llyfrau.
3. Hi ydy cadeirydd y pwyllgor.
4. Ydych chi wedi cael derbynneb?
5. Ydych chi'n deall y dechnoleg newydd?
6. Rydw i'n gallu defnyddio cyfrifiadur, ond dydw i ddim yn gallu teipio.
7. Ydy'r gwasanaeth wedi dechrau?
8. Beth ydy'r gwahaniaeth rhwng y ddwy swydd?

Newidiwch yr enwau yn y brawddegau hyn yn rhai benywaidd:
1. Mae'r cyfreithwraig yn gweithio'n galed.
2. Ydych chi'n nabod yr awdures?
3. Neidiodd y llewes arno fe.
4. Mae un Saesnes ac un Gymraes yma.
5. Athrawes ydw i – beth ydych chi?
6. Roedd Ceri'n ysgrifenyddes yn yr ysgol.
7. Pan fydda i wedi gorffen yn y coleg, fi fydd organyddes y capel.
8. Mae bywyd myfyrwraig yn fywyd caled.

Enwau Cam 3

Cyfieithwch y brawddegau hyn:
1. Cawson nhw freuddwydion melys/dymunol.

2. Aeth y gwragedd ar wyliau.
3. Gwelson ni afonydd, llynnoedd a mynyddoedd.
4. Doedd y cyfrifiaduron ddim yn gweithio.
5. Mae'r arholiadau'n dechrau mewn mis./Mae'r arholiadau'n dechrau ymhen mis.
6. Roedd milltiroedd o heolydd.
7. Doedd y Saeson ddim yn gallu siarad Sbaeneg.
8. Roedd gan y plas erddi hyfryd.

Newidiwch yr enwau yn y brawddegau hyn i'r lluosog:
1. Ces i freuddwydion dymunol neithiwr.
2. Roedd arwyddion ar y waliau.
3. Mae actorion amatur yn actio heno.
4. Er mwyn osgoi cawodydd trymion/trwm aethon ni adre.
5. Cerddais i am filltiroedd cyn cyrraedd y cymoedd.
6. Roedd ei meibion yn cofio ati hi.
7. Mae'r colegau'n cau'n gynnar eleni.
8. Mae hi wedi gorffen y traethodau o'r diwedd.

Enwau Cam 4

Newidiwch yr enwau yn y brawddegau hyn i'r lluosog:
1. Roedd arddangosfeydd ardderchog yn yr amgueddfeydd ym Mharis.
2. Aeth yr ymgeiswyr o gwmpas yr ysbytai.
3. Mae gwestai, llyfrgelloedd a phyllau nofio yng Nghaernarfon.
4. Eisteddai'r cardotwyr ym mynedfa'r adeiladau.
5. Enillodd cefnderoedd/cefndyr/cefndryd y beirdd y prif wobrau.
6. Fe brynon ni fuchod a theirw – yn y gobaith o gael lloi.
7. Roedd llythyrau ym mhoced y postmyn.
8. Mae angen hoelion i roi'r prennau ar y pyst.

Cywirwch y brawddegau hyn:
1. Roedden nhw wedi cyrraedd y swyddfeydd yn gynnar.
2. Ydy'r cyllyll a'r ffyrc ar y bwrdd?
3. Maen nhw'n mynd i adeiladu pump o ysbytai newydd.
4. Roedd y coed yn llawn dail gwyrdd.
5. Mae hi wedi pobi chwech o dorthau.
6. Mae gyrwyr bysys ar streic heddiw.
7. Maen nhw'n aros yn y gwestai/gwestyau ger y môr.
8. Roedd llawer o byllau glo yn y Rhondda.

Enwau Cam 5

Cyfieithwch y brawddegau hyn:
1. Rydw i wedi ysgrifennu llawer o lythyrau i'r cynghorau.
2. Maen nhw wedi dechrau dosbarthiadau Cymraeg yn y ffatrïoedd.
3. Mae'r gwestai'n cynnig prydau da./Mae'r gwestai'n gweini prydau da
4. Mae ieithoedd y Groegiaid a'r Rhufeiniaid yn dal yn fyw./Mae ieithoedd y Groegiaid a'r Rhufeiniaid o hyd yn fyw.
5. Roedd llwythi o bapur gwastraff yn y gweisg argraffu.
6. Mae llifogydd yn digwydd sawl gwaith yn ystod y flwyddyn.
7. Ar brydiau cafodd y nodau eu canu'n rhy uchel.
8. Ar ôl sawl ymgais, sgorion nhw geisiau.

Cywirwch y brawddegau hyn:
1. Doedd hi ddim yn hoffi canu'r nodau uchel.
2. Mae rhaid bwyta prydau twym yn y gaeaf.
3. Rhoddodd hi lawer o gynghorion i fi.

4. Roedd y pwysau gwaith yn fawr.
5. Mae bywyd yn galed ar lwythau Affrica.
6. Mae'n well gwneud nodiadau cyn ysgrifennu traethawd.
7. Roedd y wlad yn braf, a choed ar y bronnydd.
8. Rydw i wedi prynu chwech o bwysi o afalau.

Enwau Cam 6

Rhowch enwau addas yn y bylchau. Dewiswch o blith y rhain:
torthau, pwysi, pentyrrau, tuniau, pacedi, poteli, sacheidiau, biniau
1. Prynais i boteli o win.
2. Roedd hi wedi pobi torthau o fara.
3. Roedd pwysi o fenyn yn yr oergell.
4. Rydyn ni'n agor tuniau o ffa i swper bob nos.
5. Mae'r pacedi o siwgr ar y silff uchaf.
6. Roedd sacheidiau o lo o flaen siop y garej.
7. Mae pentyrrau o lyfrau ar fwrdd y llyfrgell.
8. Mae'r biniau sbwriel yn cael eu casglu bob dydd Llun.

Cyfieithwch y brawddegau hyn:
1. Mae tunelli o fwyd yn cael eu hanfon i Sudan.
2. Mae gan Ewrop fynyddoedd o fenyn a llynnoedd o win.
3. Rydw i'n casáu bwyta bresych a moron.
4. Roedd newyn yn y wlad ar ôl y sychder.
5. Roedd hi'n teimlo llawenydd a thristwch yr un pryd.
6. Mae'r tywydd yn newid yn sydyn o wres i oerfel.
7. Rydyn ni'n cael tatws, pys, ffa a chig i ginio.
8. Gwnaeth hi jam eirin a mefus.

Enwau Cam 7

Rhowch wrthwyneb yr enwau hyn.
1. y cyfoethog
2. y parchus
3. y gwael
4. y sur
5. y da
6. yr annoeth
7. yr hen
8. yr iach

Rhowch enwau lluosog addas yn y bylchau. Dewiswch o blith y rhain:
gweiniaid, meirwon, enwogion, cyfoethogion, deillion, duon, goreuon, tlodion
1. Y cyfoethogion sy'n berchen y rhan fwyaf o dir y wlad.
2. Mae'r tlodion yn byw mewn tai pren ar ymyl y ddinas.
3. Doedd dim llawer o hawliau gan y duon yn Ne Affrica.
4. "Gwlad beirdd a chantorion, enwogion o fri".
5. Mae gan y deillion gŵn i'w helpu nhw ar strydoedd y dref.
6. Mae Gwenallt yn sôn am bobl oedd wedi dioddef yn ei gerdd 'Y meirwon'.
7. Ar ôl cael y marciau uchaf, Huw a Jac oedd y goreuon.
8. Derbyniodd yr ysbyty'r gweiniaid.

Enwau Cam 8

Dywedwch beth yw swyddogaeth y geiriau sydd wedi'u tanlinellu:
e.e. goddrych, gwrthrych, ansoddair, genidol
1. <u>Ymarfer</u> yw'r peth pwysig cyn arholiad. : goddrych

2. Mae e'n casáu <u>coginio</u>. : gwrthrych
3. Doedd dim papur <u>ysgrifennu</u> ar ôl yn y tŷ. : ansoddair
4. Dyma gopi o raglen <u>y dathlu</u>. : genidol
5. Ydych chi'n aelod o'r pwyllgor <u>penodi</u>? : ansoddair
6. <u>Cerdded</u> yw'r math gorau o ymarfer. : goddrych
7. Maen nhw'n hoffi <u>bwyta bwyd Indiaidd</u>. : gwrthrych
8. Ydych chi wedi clywed canlyniad <u>y cystadlu</u>? : genidol

Ffurfiwch ferfenwau o'r enwau hyn:
1. cwsg – cysgu
2. cystadleuaeth – cystadlu
3. gwên – gwenu
4. taith – teithio
5. blodyn – blodeuo
6. dŵr – dyfrhau
7. rheol – rheoli
8. gorchymyn – gorchymyn
9. gofid – gofidio
10. pryder – pryderu
11. trefn – trefnu

Enwau Cam 9

Cysylltwch eiriau'r golofn chwith â'r rhai yn y golofn dde:
1. strydoedd y ddinas
2. Senedd Ewrop
3. Prifysgol Cymru
4. Eglwys y Santes Fair
5. tlodi pobl ddigartref
6. gwaith cartref
7. tywyllwch y nos
8. croen eliffant

Llanwch y bylchau yn y brawddegau ag un o'r geiriau hyn:
siopau, lloches, cam-drin, gwehilion, diweithdra, dioddef, ymdrechion, cynghorau
1. Mae angen lloches ar y digartref.
2. Mae rhai'n credu mai gwehilion cymdeithas yw'r digartref.
3. Yn anffodus, mae cam-drin plant wedi mynd yn gyffredin.
4. Mae rhai cynghorau tref yn darparu adeilad arbennig i'r digatref.
5. Ydy diweithdra yn broblem fawr yn eich ardal chi?
6. Mae llawer yn gorfod cysgu yn nrysau siopau.
7. Dydy ystadegau ddim bob amser yn datgelu maint y dioddef.
8. Er gwaethaf ymdrechion mudiadau gwirfoddol, mae'r broblem yn parhau.

Enwau Cam 10

Cyfieithwch y brawddegau hyn:
1. Ar ôl cau'r ffatri, ceisiodd cyngor y dref wneud rhywbeth./Ar ôl i'r ffatri gau ceisiodd cyngor y dref wneud rhywbeth.
2. Chwaraewyd record newydd y band yn y rhaglen deledu.
3. Ydych chi am dreulio gweddill eich bywyd mewn cartref hen bobl?
4. Ydy gwledydd Ewrop yn ceisio helpu gwledydd y trydydd byd?
5. Gobaith y tîm oedd ennill cwpan y byd.
6. Mae ieuenctid wedi ei wastraffu ar yr ifanc.
7. Dylai dysgu Cymraeg fod yn orfodol yng ngorllewin Lloegr.
8. Dylaid fod gan yr anabl a'r henoed fwy o gyfleusterau siopa.

Rhowch ymadroddion dau air am y canlynol:
1. siop amladran
2. canolfan siopa
3. oriel gelf
4. canolfan waith
5. cludiant cyhoeddus
6. llysoedd ynadon
7. maes parcio
8. treth incwm

Enwau Cam 11

Cyfieithwch y brawddegau hyn:
1. Beth yw 'llefrith' yng Nghymraeg y de?
2. Beth yw 'mam-gu' yng Nghymraeg y gogledd?
3. Mae Cymraeg yn un o ieithoedd bach Ewrop.
4. Mae tua thri deg pump o ieithoedd bach yn Ewrop gan gynnwys Basgeg, Gwyddeleg a Chatalaneg.
5. Mae mwy o bobl yn siarad Catalaneg na Daneg a Norwyeg.
6. Mae storïau da am y Cymry, y Saeson a'r Gwyddelod.
7. Pam mae storïau am y Gwyddelod mor syml? Fel bod y Saeson yn gallu eu deall nhw.
8. Ymwelon ni â'r Almaen, y Swistir a'r Eidal eleni.

Cywirwch y brawddegau hyn:
1. Mae llawer o Saeson yn byw yng nghefn gwlad Cymru.
2. Mae rhaid i bawb astudio Ffrangeg yn ein hysgol ni.
3. Beth yw hynny yn Gymraeg? Mêl?
4. Beth yw 'nain' yng Nghymraeg y de? Naw?
5. Roedd y nofel wedi ei hysgrifennu mewn Cymraeg da.
6. Rydych chi'n siarad Cymraeg yn dda iawn.
7. Dysgodd y myfyrwyr Gymraeg mewn mis.
8. Ydych chi wedi bod yng ngwersyll yr Urdd yn y Bala?

Enwau Cam 12

Cywirwch y brawddegau hyn:
1. Dywedodd Arlywydd America ei fod yn mynd i ymddeol.
2. Beth yw 'llefrith' yn Saesneg y de?
3. Ydych chi wedi clywed am y tywysog Llywelyn yr ail?
4. Beth yw eich barn chi am ysgrifennydd y cynulliad?
5. Annwyl Arglwydd Elvis-Thomas, Diolch am eich llythyr…
6. Mae senedd yr Alban yng Nghaeredin.
7. Roedd Esgob Bangor yn siarad yn y neuadd.
8. Mae afon Tawe ac afon Taf yn llifo i Fôr Hafren.

Cyfieithwch y brawddegau hyn:
1. Gwelais i Esgob Bangor y bore 'ma.
2. Rydyn ni'n ysgrifennu at y Cynghorydd Jones.
3. Glyndŵr oedd Tywysog olaf Cymru?
4. Dyma'r Athro Williams – fe ysgrifennodd y llyfr ar hanes Cymru.
5. Pwy yw ein Haelod Cynulliad?
6. Rydw i wedi cyfarfod â Phrif Ysgrifennydd y Cynulliad.
7. Mae hi'n gweithio i Wasg Prifysgol Cymru.
8. Hi yw capten tîm rygbi Cymru.

Rhagenwau Cam 1

Rhowch ragenw addas yn y bylchau hyn:
1. Rydyn ni'n yfed coffi.
2. Maen nhw eisiau dod gyda ni.
3. Dydw i ddim yn hoffi te cryf.
4. Hi ydy'r athrawes.
5. Fe ydy'r chwaraewr gorau.
6. Rwyt ti'n lwcus iawn.
7. Ydych chi eisiau cael cwpaned arall?
8. Wyt ti'n ei ddysgu e?

Cywirwch y brawddegau hyn:
1. Maen nhw'n codi'n gynnar.
2. Mae hi'n braf iawn heddiw.
3. Ydy hi'n naw o'r gloch?
4. Maen nhw'n hoffi llawer o siwgr.
5. Rydych chi'n gorffen y gwaith yn gynnar heddiw.
6. Fi ydy/yw capten y tîm criced eleni.
7. Mae e'n dechrau cysgu o'r diwedd.
8. Fe yw'r gorau yn y dosbarth.

Rhagenwau Cam 2

Treiglwch y geiriau rhwng [ ] yn y brawddegau hyn:
1. Mae fy nhad-cu'n dod o'r Rhondda.
2. Mae fy mrawd yn gweithio mewn swyddfa.
3. Ydych chi'n nabod fy nhad?
4. Rydw i'n nabod dy fam-gu di.
5. Rydw i'n gweld ei thad hi bob dydd.
6. Mae dy frawd di'n gweithio gyda fi.
7. Ble mae dy gefnder di'n byw?
8. Rydw i'n gweld ei fab e yn yr ysgol.
9. Ydy dy gyfnither di'n dod i de?
10. Ydych chi nabod ei hewythr hi?

Cyfieithwch y brawddegau hyn:
1. Ydych chi'n nabod ei thad hi?
2. Ydych chi wedi cwrdd â'i gefnder e?
3. Dyma fy ngwraig i.
4. Ble mae eich brawd chi heno?
5. Gwelais i ei fam e neithiwr.
6. Mae ei theulu hi'n dod o Gernyw.
7. Cwrddais i â'u hewythr nhw yn y dref.
8. Rydw i'n gobeithio bod fy ngŵr i'n gwrando.

Rhagenwau Cam 3

Rhowch ragenw yn lle enw yn y brawddegau hyn:
e.e. Mae Mr Bakir yn gwerthu'r ddesg. Mae e'n ei gwerthu hi.
1. Mae hi'n yn eu gwerthu nhw.
2. Mae hi wedi ei dalu e.
3. Roedd hi'n ei ddarllen e.
4. Maen nhw'n ei gweld hi bob dydd.
5. Fe fyddan nhw'n ei brynu e bob bore Sadwrn.
6. Mae e'n moyn ei phrynu hi.
7. Roedden ni wedi eu gwerthu nhw.

8. Dydyn ni ddim yn ei werthu e.
9. Mae e'n yn eu talu nhw.
10. Dydy e ddim wedi ei gwerthu hi.

Cywirwch y brawddegau hyn:
1. Maen nhw'n fy nhalu i.
2. Roedd e wedi ei dalu e.
3. Rydyn ni'n gobeithio eu talu nhw.
4. Bydda i'n ei thalu hi yfory.
5. Roedden nhw wedi ei gwerthu hi.
6. Dydyn nhw ddim yn ei werthu e heddiw.
7. Dydw i ddim eisiau ei thalu hi.
8. Rydych chi wedi ei brynu e'n rhad.

Rhagenwau Cam 4

Cyfieithwch y brawddegau hyn:
1. Rydw i'n gwybod eu bod nhw'n byw yng ngogledd Cymru.
2. Ydych chi wedi clywed ei bod hi'n gadael?
3. Rydyn ni'n gobeithio ei fod e'n dod adre.
4. Ydych chi'n credu eu bod nhw'n gwneud digon?
5. Rydw i'n credu eu bod nhw ddim yn gwneud ymdrech.
6. Maen nhw'n gwybod fy mod i ddim yn hoffi byw yma.
7. Mae hi'n gobeithio fy mod i'n mynd i gael yr arian.
8. Maen nhw'n credu ein bod ni'n gweithio gormod.

Llanwch y bylchau â geiriau addas:
1. Ydych chi wedi clywed ein bod ni'n mynd heno?
2. Mae hi'n credu ei fod e wedi gorffen.
3. Rydw i'n gobeithio ei bod hi ddim wedi gadael.
4. Maen nhw'n gwybod fy mod i ddim wedi yfed neithiwr.
5. Rydw i'n siŵr eich bod chi wedi gweld hyn o'r blaen.
6. Ydych chi'n credu eu bod nhw'n rhy ddrud?
7. Roedden nhw'n gobeithio eu bod nhw'n mynd i ennill.
8. Oeddech chi'n gwybod ei fod e ddim yn y tîm?

Rhagenwau Cam 5

Rhowch ragenw mewnol yn y bylchau, a threiglwch os oes angen:
1. Rydw i wedi dod â'm camera.
2. Rydw i a'm brawd wedi colli'r tocyn.
3. Rwyt ti a'th fam wedi chwilio.
4. Mae e wedi rhoi'r llyfr i'w dad.
5. Mae hi eisiau diolch i'w rhieni.
6. Rydyn ni'n mynd i'm hysgol.
7. Rydych chi wedi dod o'ch ysgol.
8. Maen nhw wedi mynd i'w gwely.
9. Mae Siân yn mynd i'r dref efo'i thad.
10. Mae Huw'n cerdded adre gyda'i dad-cu.

Cyfieithwch y brawddegau hyn:
1. Siaradwch â'ch tad amdano fe!
2. Dewch â'm cot a'm bag!
3. Dydw i ddim yn ei chredu hi.
4. Ydych chi'n eu hateb nhw bob tro?
5. Rydw i wedi eu gweld nhw'n gwneud hynny o'r blaen.
6. Rydw i'n gobeithio eich bod chi wedi ei weld e yn fy ngardd i.

7. Gwel(s)on ni hi'n gweithio yn ei thŷ hi.
8. Dydw i ddim yn credu fy mod i wedi ei ddarllen e.

Rhagenwau Cam 6

Gofynnwch gwestiynau i gael yr atebion hyn:
1. Beth mae e'n ei yfed?.
2. Beth maen nhw'n ei fwyta?.
3. Pwy oedd yma?
4. Pryd daw'r bil?
5. Pa mor aml roedden nhw'n bwyta?
6. Beth roedd hi'n ei fwyta?
7. Pa mor aml rydych chi wedi bod yma?
8. Sut gawl yw e?

Cywirwch y brawddegau hyn:
1. Sawl cwpan sy ar y silff?
2. Faint o fara mae e'n ei fwyta?
3. Sut frecwast gawsoch chi heddiw?
4. Beth mae hi'n ei yfed i frecwast?
5. Sawl plât sydd ar y bwrdd?
6. Am beth roedd e'n siarad?
7. Pa liw ydyn nhw?
8. Sut maen nhw'n gwybod?

Rhagenwau 7

Cyfieithwch y brawddegau hyn:
1. Rydw i'n deall y rhain, ond mae'r berfau hynny'n/yna'n amhosibl.
2. Ddysgoch chi hyn yr wythnos hon?
3. Beth yw hynny yn Gymraeg?
4. Beth yw ystyr y ddihareb yna/honno?
5. O hyn ymlaen, rydw i'n mynd i ddechrau cymryd y rhain.
6. Ar hyn o bryd, rydw i'n cael anhawster gyda'r rhagenwau hyn.
7. Roedd hwn yn hawdd ond mae hwnnw'n fwy anodd.
8. Ydych chi wedi gweld y treigladau yna/hynny o'r blaen?

Rhowch air neu eiriau addas yn y bylchau. Dewiswch o blith y rhain:
honno, oherwydd hynny, hynny, rhain, y rheini, hwnnw, ar hyn o bryd, erbyn hynny
1. Ydych chi'n nabod y ferch honno?
2. Mae'r rhain yn edrych yn ddeniadol.
3. Roedd hi'n rhy hwyr erbyn hynny.
4. Aeth hi'n gynnar, ac oherwydd hynny mae tipyn o amser gen i.
5. Rydw i wedi gweld y bachgen hwnnw o'r blaen.
6. Dydw i ddim eisiau gweithio ar hyn o bryd.
7. Mae hynny'n wir.
8. Rydw i wedi gweld y rheini o'r blaen.

Rhagenwau 8

Rhowch ragenwau dwbl yn y brawddegau hyn:
1. Hyhi sydd ar fai.
2. Nyni yw'r pencampwyr.
3. Y nhw ydy'r lladron./Hwynt-hwy ydy'r lladron
4. Hyhi sy wedi colli'r tocynnau.
5. Y nhw sy heb wneud y gwaith./Hwynt-hwy sy heb wneud y gwaith.
6. Efe sydd wedi mynd â'r bwyd.

7. Chwychwi sy wedi bod yn diogi./Y chi sy wedi bod yn diogi.
8. Tydi sydd wedi gwneud y cawl.

Cyfieithwch y brawddegau hyn gan ddefnyddio rhagenwau dwbl:
1. Roeddet tithau wrthi.
2. A beth amdanoch chithau?
3. Mae yntau wedi bod yn y carchar./Mae yntau wedi bod yng ngharchar.
4. Bydd rhaid i minnau fynd.
5. Roedd hithau yno.
6. Es i i Gaerdydd, ac yntau i Abertawe.
7. Bydd rhaid i ninnau adael.
8. Fydd rhaid i chithau aros?

Rhagenwau 9

Cyfieithwch y brawddegau hyn:
1. Chwaraeon nhw yn erbyn ei gilydd cyn y gêm.
2. Roedden ni'n gweiddi ar ein gilydd ar ôl i'r gôl gael ei sgorio.
3. Ydych chi'n siarad â'ch gilydd yn awr?
4. Doeddwn i ddim yn gallu fy nghredu fy hun/hunan.
5. Perswadion nhw'u hunain eu bod nhw'n gallu chwarae rygbi.
6. Helpon ni'n hunain i'r bwyd.
7. Cloiodd hi ei hun/hunan yn y gegin.
8. Ar ôl iddyn nhw sgorio cusanon nhw ei gilydd.

Cywirwch y brawddegau hyn:
1. Chwaraeon nhw yn erbyn ei gilydd.
2. Mae e'n ceisio ei wella'i hunan trwy weithio'n galed.
3. Roedden nhw eisiau eu mwynhau eu hunan ar y traeth.
4. Roedden ni'n chwarae gyda'n gilydd yn y parc.
5. Gwelais i nhw'n cystadlu yn erbyn ei gilydd.
6. Peidiwch â gweiddi ar eich gilydd!
7. Roedd y ddau yn y gornel yn cusanu'i gilydd.
8. Rhaid i chi wynebu eich gilydd ryw ddiwrnod.

Rhagenwau Cam 10

Rhowch ymadrodd addas yn y bylchau. Dewiswch o blith y rhain:
pob un, dyn, rheini, unman, pa un, un yma, dim un, un peth
1. Roedd dyn yn arfer credu bod gwersylla'n ddymunol.
2. Pa un o'r disgyblion sydd wedi gorffen ei waith?
3. Mae pob un wedi gorffen.
4. Does dim un ar ôl.
5. Ewch â'r un yma – mae'n well na'r lleill.
6. Fe brynais i'r llyfr yma ddoe – ond mae e'r un peth â'r llall.
7. Doedd y tocyn ddim i'w weld yn unman.
8. Mae'r rhain yn iawn, ond mae'r rheini'n well.

Cyfieithwch y brawddegau hyn:
1. Pa un o'r rhain yw'r gorau?/P'un o'r rhain yw'r gorau?
2. Rydw i'n credu eu bod nhw i gyd yr un peth/fath.
3. Ydych chi'n siarad am y rhain neu'r rheini/rheiny?
4. Gallai dyn feddwl eu bod nhw i gyd yn cysgu.
5. Mae rhai ohonyn nhw'n dringo yfory.
6. Mae rhai plant yn mynd yno bob blwyddyn.
7. Rydw i wedi bod yno unwaith.
8. Dydw i ddim yn gallu ei weld e yn unman.

Rhagenwau Cam 11

Cywirwch y brawddegau hyn:
1. Bydda i'n gwella ryw ddiwrnod.
2. Dydw i ddim yn hoffi hyn ryw lawer.
3. Mae rhywbeth mawr o'i le arno fe.
4. Dywedodd rhywun fod afalau'n dda.
5. Wnaiff unrhyw foddion y tro?
6. Mae e wedi rhoi'r pils i ryw ddeg o bobl.
7. Mae sawl peth i'w (g)wneud.
8. Sawl meddyg sy wedi galw?

Cyfieithwch y brawddegau hyn:
1. All unrhyw un helpu?
2. Ydych chi wedi clywed unrhyw beth?
3. Mae rhywbeth od/rhyfedd amdani hi.
4. Rhoddodd e ryw bils cas i fi.
5. Sawl gwely sydd yn y ward?
6. Mae sawl peth ar goll.
7. Oes unrhyw obaith ar ôl?
8. Dylai rhywun ofalu amdano fe.

Rhagenwau Cam 12

Cyfieithwch y brawddegau hyn:
1. Mae llawer gormod o bobl yn y dosbarth.
2. Faint o siaradwyr di-Gymraeg sy'n anfon eu plant i'r ysgol?
3. Oes llawer o ysgolion Cymraeg yn yr ardal?
4. Pwys o datws a pheth brocoli os gwelwch yn dda./Pwys o datws ac ychydig o frocoli os gwelwch yn dda./Pwys o datws a thipyn o frocoli os gwelwch yn dda.
5. Roedd rhai o'r dosbarth yn gwybod y gwaith, ond doedd gweddill y disgyblion ddim.
6. Mae hen ddigon o waith cartref gen i heno.
7. Ychydig iawn o bobl sy'n dysgu Ffrangeg yn dda yn yr ysgol.
8. Mae nifer o bethau mae rhaid i ddyn wybod am dreigladau.

Cywirwch y brawddegau hyn:
1. Does dim llawer o ddosbarthiadau Cymraeg yn Llundain.
2. Roedd llawer o ddigwyddiadau'n cael eu cynnal yn y pentref.
3. Bydd llawer iawn o ddysgwyr yn mynd i'r eisteddfod.
4. Mae sawl dysgwr yn mynd ymlaen i'r coleg.
5. Roedd llawer gormod o Saeson yn byw yn y pentref.
6. Does neb yn mynd i'r dosbarth.
7. Mae hen ddigon o bobl yn y coleg erbyn hyn.
8. Faint o fewnfudwyr sydd yn eich ardal chi?

Rhagenwau Cam 13

Cyfieithwch y brawddegau hyn:
1. Rydw i'n edrych ar yr holl lyfrau bob dydd.
2. Doedd dim syniad gen i eu bod nhw'n gwbl/hollol anghywir.
3. Roedd pawb arall wedi gorffen y gwaith i gyd yn berffaith.
4. Does dim byd pwysig yn y papur – clecs yw e i gyd.
5. Gwarion nhw eu harian i gyd ar fwyd – does dim ar ôl i'w gynilo.
6. Hwn yw'r banc sy'n cynnig y llog uchaf oll./Dyma'r banc sy'n cynnig y llog uchaf oll.
7. Bob yn dipyn aethon ni'n dlotach bob blwyddyn.
8. Doedd neb ohonon ni wedi clywed ein bod ni i gyd heb swydd/waith.

Cywirwch y brawddegau hyn:
1. Does neb yn gwybod beth sy'n digwydd.
2. Roedd yr holl arian wedi diflannu.
3. Ble mae'r llyfrau i gyd wedi mynd?
4. Doedd dim byd ar y ddesg.
5. Collodd Huw ei holl arian yn y fenter.
6. Mae'r wlad oll mewn trafferthion economaidd.
7. Bydd holl weithwyr y banc yn mynd ar streic.
8. Roedd yr holl wlad yn poeni am y sefyllfa.

Rhowch y geiriau hyn yn y bylchau:
holl, oll, pob dim, pawb, pob un, neb, cyfan, yn gyfan gwbl, hollol, wedi'r cwbl, i gyd, dyma
1. Does neb yn fy nghredu.
2. Bydda i yma yn y gell am yr holl fisoedd nesaf, yn gyfan gwbl ar fy mhen fy hun, a hyn oll am fod fy ffrind wedi dweud celwydd.
3. Mae'r sefyllfa'n hollol annheg.
4. Rwy'n teimlo bod pawb yn fy erbyn i.
5. Wedi'r cwbl, roedd pob un oedd wedi fy ngweld y diwrnod hwnnw wedi dweud imi dreulio'r dydd i gyd yn y caffe.
6. Erbyn hyn mae'r cyfan drosodd.
7. Rydw i wedi gwneud pob dim i ddod yn rhydd.
8. Fe gollais i'r achos yn y llys, a dyma fi.

Rhagenwau Cam 14

Cyfieithwch y brawddegau hyn:
1. Ar y naill law mae hi'n gyfleus, ond ar y llaw arall mae hi'n ddiangen./Ar y naill law mae e'n gyfleus, ond ar y llaw arall mae e yn anangenrheidiol.
2. Ddysgodd y naill na'r llall Sbaeneg./Doedd yn naill na'r llall yn dysgu Sbaeneg.
3. Rhwng y naill beth a'r llall methon nhw eu harholiadau.
4. Gwrandawodd y lleill tra gweithiai rhai ohonyn nhw.
5. Dysgodd y ddau ddarlithydd y ddau bwnc./Dysgai'r ddau ddarlithydd y ddau bwnc.
6. Doedd y naill na'r llall o'r colegau'n dysgu Almaeneg./Doedd y naill goleg na'r llall yn dysgu Almaeneg.
7. Mae'r naill yn dysgu ffiseg, ond mae'r llall yn dysgu mathemateg hefyd.
8. Mae'r colegau eraill yn arbenigo mewn economeg.

Rhowch ymadrodd cywir yn y bylchau. Dewiswch o blith y rhain:
llall, ar y llaw arall, lleill, ill, ddau, eraill, naill ai, naill
1. Ar y naill law mae'r coleg yn boblogaidd, ond ar y llaw arall mae'n bell i ffwrdd.
2. Dydw i ddim yn nabod y naill ddarlithydd na'r llall.
3. Maen nhw ill dau yn gwneud yr un cwrs.
4. Roedd y ddau ohonyn nhw'n bwriadu mynd i Fangor.
5. Dydw i ddim wedi clywed am y naill goleg na'r llall.
6. Mae'r cwrs naill ai'n anodd, neu rydw i'n dwp.
7. Ydych chi wedi gweld y myfyrwyr eraill?
8. Rydw i wedi gweld y lleill i gyd.

Adferfau Cam 1

Cyfieithwch y brawddegau hyn:
1. Mae'r claf yn teimlo'n ofnadwy.
2. Mae'r hen ddyn yn gwella'n araf.
3. Dydy'r meddyg ddim yn codi'n gynnar.
4. Dydy'r nyrs ddim yn gweithio'n gyflym.
5. Mae'r dyn ifanc yn gwenu'n hapus.

6. Maen nhw'n edrych yn flinedig./Mae golwg flinedig arnyn nhw.
7. Dydy hi ddim yn edrych yn dda./Does dim golwg dda arni hi.
8. Mae'r meddyg yn gweithio'n galed.

Rhowch eiriau addas yn y bylchau, a threiglwch lle mae angen. Dewiswch o blith y rhain:
rhyfeddol, cyfoethog, blinedig, cynnar, tawel, llon, cyflym, da
1. Roedd y claf wedi gwella'n rhyfeddol.
2. Ar ôl methu â chysgu, roedd e'n edrych yn flinedig iawn.
3. Roedd e'n gyfoethog ar ôl ennill y loteri.
4. Dydy hi ddim yn edrych yn dda ar ôl cael y salwch.
5. Maen nhw wedi codi'n gynnar i weld y wawr.
6. Mae'r plant yn cysgu'n dawel, diolch byth.
7. Mae hi wedi ennill y ras ar ôl rhedeg yn gyflym.
8. Roedd y baban yn gwenu'n llon trwy'r dydd.

Adferfau Cam 2
Rhowch adferau addas yn y bylchau:
1. Mae'r tegell wedi berwi'n sych.
2. Yn anffodus, maen nhw wedi colli'r gêm yn drwm.
3. Mae'n bryd i mi siarad yn blwmp ac yn blaen.
4. Mae rhaid i chi ystyried y peth yn ofalus.
5. Rydw i'n cytuno'n llwyr â chi.
6. Maen nhw wedi blino'n lân ar ôl gweithio.
7. Roedd y tŷ wedi llosgi'n ulw.
8. Mae angen paratoi'n drylwyr cyn yr arholiad.

Cyfieithwch y brawddegau hyn:
1. Mae rhaid i chi wrando'n astud ar y meddyg.
2. Os ydych chi'n sgorio mwy o bwyntiau, rydych chi'n mynd i ennill yn hawdd.
3. Mae rhaid i ni weithio'n galed yn y ward.
4. Mae'r cleifion i gyd yn cysgu'n drwm.
5. Mae'r nyrs yn cytuno'n llwyr â'r meddyg.
6. Mae hi'n rhoi gormod o dabledi i'r claf.
7. Roedd e wedi blino'n lân ar ôl gweithio trwy'r dydd.
8. Mae'r bwyd wedi llosgi'n ulw.

Adferfau Cam 3
Rhowch eiriau addas yn y bylchau. Dewiswch o blith y rhain:
bore yfory, wedyn, echdoe, erioed, bob amser, toc, eisoes, y llynedd
1. Maen nhw'n mynd i adael y cartref bore yfory.
2. Roedden nhw wedi cyrraedd echdoe.
3. Mae hi'n galw gyda ni, wedyn mae hi'n mynd atoch chi.
4. Mae hi yno ers amser – cafodd hi le yn y cartref y llynedd.
5. Ydych chi erioed wedi bod mewn cartref hen bobl?
6. Mae e bob amser yn cymryd gofal mawr.
7. Ydy hi'n saith o'r gloch yn barod? Fe fyddan nhw yma toc.
8. Mae e eisoes wedi gorffen y gwaith, chwarae teg.

Cyfieithwch y brawddegau hyn:
1. Cyrhaeddon nhw neithiwr.
2. Ydyn ni'n mynd i weld y cartref prynhawn yfory?
3. Dydyn ni ddim wedi bwyta'r prynhawn 'ma.
4. Mae hi eisoes wedi gadael y tŷ.
5. Ydy e erioed wedi ymweld â'i ewythr yn yr ysbyty?
6. Dydych chi byth yn mynd i wella.

7. Mae hi'n well eleni na'r llynedd.
8. Dydyn ni ddim yn gweithio yno bellach.

Adferfau Cam 4

Rhowch eiriau addas yn y bylchau. Dewiswch o blith y rhain:
gartref, i ryw raddau, bob yn ddau, ymaith, i gyd, gyferbyn, cynddrwg, adref
1. Ydy Mrs Evans gartref, os gwelwch yn dda?
2. Mae hi'n gallu cerdded adref ar ei phen ei hun.
3. Mae rhaid i blismyn gerdded bob yn ddau ar nos Sadwrn.
4. Rydw i wedi dod i fyw gyferbyn â chi.
5. Er bod y bwyd wedi llosgi, dydy'r blas ddim cynddrwg.
6. Mae'r clefyd wedi gwella, i ryw raddau.
7. Fe aeth e ymaith heb ddweud dim.
8. Ydych chi wedi bwyta'r bwyd i gyd?

Cyfieithwch y brawddegau hyn:
1. Dydy'r tywydd ddim yn edrych cynddrwg heddiw.
2. Mae rhaid i chi gymryd y tabledi bob yn dri.
3. Roedd y rhaglen drosodd cyn iddyn nhw droi'r teledu ymlaen.
4. Arhoson ni gartref yn ystod y gwyliau.
5. Dydw i ddim yn hoffi'r llun, wel nid/ddim cymaint â hynny.
6. Ydych chi wedi bod i ffwrdd eleni?
7. Rydw i'n teimlo'n llawer gwell ar ôl cymryd y moddion.
8. Welsoch chi'r llyfrau? Roedden nhw oddi tano.

Adferfau Cam 5

Cyfieithwch y brawddegau hyn:
1. Yn anffodus, enillon nhw'r gêm yn hawdd.
2. Arhosodd hi gartref, er ei bod hi'n braf prynhawn ddoe.
3. Aethon ni adref yn gynnar am ein bod ni wedi blino'n lân.
4. Gwrandewch yn ofalus, ac fe fyddwch yn ôl pob tebyg yn gallu gorffen y gwaith.
5. Rydw i'n teimlo'n ofnadwy er fy mod i'n edrych yn well.
6. Doedd y meddyg erioed wedi gweld y symptomau hyn o'r blaen.
7. Ar ôl paratoi'n drylwyr, pasiodd y myfyrwyr yn hawdd.
8. Cyhyd ag y gwn i, mae hi'n dal i fwrw glaw'n drwm.

Rhowch ymadroddion Cymraeg addas am y rhai rhwng [ ]:
1. Dydyn nhw ddim yn gwaethygu beth bynnag.
2. Dydw i ddim yn credu bod dim o'i le arni hi, yn bersonol.
3. Clefyd y gwair sydd arnoch chi yn ôl pob tebyg.
4. Mae'r clefyd yn ddifrifol yn anffodus.
5. Roedd y nyrs wedi gwneud ei gorau chwarae teg.
6. Mae'r gwaith ar fin dod i ben, wel fwy neu lai.
7. Mewn gwirionedd, does dim syniad gen i.
8. Bydd hi'n gwella yn y pen draw.

Adferfau Cam 6

Rhowch ymadroddion addas yn y bylchau hyn. Dewiswch o blith y rhain:
ac eithrio, eto i gyd, ar y cyfan, yn y cyfamser, chwaith, gyda llaw, fel rheol, mwyach
1. Rydw i'n hoffi'r bwyd, ac eithrio'r cig moch.
2. Mae hi fel rheol yn cyrraedd y gwaith yn gynnar.
3. Mae'r gwaith wedi ei wneud yn eitha da, ar y cyfan.
4. Roeddwn i ar wyliau, ac yn y cyfamser fe wnaeth hi gawl o bopeth.
5. Roedd hi'n dda yn y cyfweliad, eto i gyd doeddwn i ddim yn siŵr a oedd hi'n haeddu'r swydd.

6. Gyda llaw, beth yw ei henw cyntaf hi?
7. Dydyn nhw byth yn dod yma mwyach.
8. Dydw i ddim wedi gweld y papur, na'r llythyr chwaith.

Cyfieithwch y brawddegau hyn:
1. Ydy e fel arfer yn cyrraedd yn gynnar?
2. Rydw i am gael o leiaf un canlyniad da.
3. Dim ond pedair amlen sy gen i ar ôl.
4. Rydw i'n hoffi popeth heblaw teipio.
5. Er gwaethaf hynny, rydw i'n gobeithio cael y swydd.
6. Rydw i'n hwyr o leiaf unwaith yr wythnos.
7. Ydych chi fel rheol yn gwneud y prosesu geiriau yn eich swyddfa?
8. Ar y cyfan, rydw i'n hoffi mynd i'r gwaith.

Adferfau Cam 7

Cyfieithwch y brawddegau hyn:
1. Dydy hi ddim hanner da.
2. Cyrhaeddodd y trên yn eithaf hwyr.
3. Gadawon nhw'n llawer rhy hwyr.
4. Er bod yr awyren yn gymharol lawn, roedd digon o le gynnon/gennyn ni.
5. Roedd hi'n eitha hwyr, ond doedd y neuadd ddim chwarter llawn.
6. Mae hi'n llawer rhy hwyr i ddweud ydy hi'n ddigon diogel.
7. Roedd y bwyd yn wirioneddol dda – rydyn ni'n ddiolchgar iawn.
8. Am fod y trên ychydig yn hwyr collon ni'r cysylltiad.

Cyfieithwch y brawddegau hyn:
1. Codais i'n llawer rhy gynnar.
2. Es i mewn tacsi oherwydd fy mod i ychydig yn hwyr.
3. Roedd y trên yn hwyr dros ben.
4. Collon ni'r cwch am iddo adael yn rhy gynnar.
5. Roedd hi'n eithaf hwyr felly aethon ni cyn ei bod hi'n rhy dywyll.
6. Rydych chi'n eithaf iawn: roedd y trên braidd yn araf.
7. Roedd hi'n eithaf cynnar yn y bore, ac roedd yr haul yn codi'n araf iawn.
8. Dechreuodd y daith yn gyflym iawn, ond roedd y traffig yn eithaf araf wedyn.

Rhifau Cam I

Ysgrifennwch y rhifau rhwng [ ] mewn geiriau gan wneud unrhyw newid arall sy'n angenrheidiol:
1. Mae dwy ferch wedi cael eu lladd heddiw mewn damwain rhwng dau drên yng Nghasnewydd.
2. Mae tri deg tri o bobl wedi cael eu hanafu'n ddifrifol.
3. Mae dau ddeg dau o ddynion a chwe menyw yn yr ysbyty.
4. Mae nifer y di-waith yng Nghymru wedi codi i naw deg wyth mil, pum cant pedwar deg tri.
5. Mae hyn bedair mil dau gant a chwech yn fwy na'r mis diwethaf.
6. Mae dwy fil tri chant a phedwar o bobl wedi colli eu gwaith yn y diwydiant dur yn ystod y mis.
7. Mae Cynulliad Cymru'n gobeithio denu pum mil pum cant o swyddi newydd i Gymru yn ystod y flwyddyn.
8. Mae adroddiad heddiw yn dweud bod wyth deg saith y cant o fyfyrwyr Cymru'n yfed gormod.

Rhowch eiriau am y canlyniadau rygbi hyn:
1. Llanelli tri deg chwech   Pontypridd un deg chwech
2. Caerdydd naw deg wyth   Wasps dau ddeg pedwar

3. Abertawe pum deg tri   Northampton dau ddeg naw
4. Harlequins saith deg dau   Sale tri deg pump
5. Castell-nedd un deg naw   Casnewydd un deg pump
6. Caerloyw pedwar deg chwech   Caerfaddon dau ddeg wyth
7. Glynebwy dau ddeg tri   Toulouse un deg saith
8. Pen-y-bont dau ddeg naw   Toulon un deg wyth

Rhifau Cam 2

Rhowch amserau agor a chau y banc mewn geiriau:

1.	Llun	ugain munud wedi naw – pum munud ar hugain wedi deuddeg
		pum munud ar hugain i ddau – hanner awr wedi pedwar
2.	Mawrth	chwarter wedi naw – ugain munud wedi deuddeg
		pum munud ar hugain wedi un – ugain munud i bump
3.	Mercher	ugain munud wedi deg – deg munud i un
		deg munud i ddau – pum munud ar hugain i bump
4.	Iau	pum munud wedi deg – chwarter i un
		ugain munud i ddau – deg munud i bump
5.	Gwener	pum munud wedi naw – hanner awr wedi deuddeg
		hanner awr wedi un – ugain munud wedi pump
6.	Sadwrn	deg o'r gloch – hanner awr wedi deuddeg

Rhowch y symiau hyn mewn geiriau:
1. un bunt wyth deg tair ceiniog
2. deuddeg punt pedwar deg pum ceiniog
3. deunaw punt tri deg un ceiniog
4. ugain punt pymtheg ceiniog
5. dwy bunt ar bymtheg ugain ceiniog
6. un bunt ar bymtheg deuddeg ceiniog
7. pum punt ar hugain hanner can ceiniog
8. pedwar deg pum punt naw deg ceiniog

Rhifau Cam 3

Cyfieithwch y brawddegau hyn:
1. Mae e'n ddeuddeng mlydd oed.
2. Rydw i wedi bod yn aros ers dwy flynedd./Rydw i'n aros ers dwy flynedd.
3. Roedd e'n byw yma ddeng mlynedd yn ôl.
4. Mae hi'n bum mlynedd ers i mi fod yma.
5. Faint o bobl oedd yn siarad Cymraeg ugain mlynedd yn ôl?
6. Roedd rhaid iddo aros un mlynedd ar ddeg am lawdriniaeth.
7. Mae'r gwin o leiaf yn saith mlwydd oed.
8. Ble oeddet ti ddeunaw mlynedd yn ôl?

Cywirwch y brawddegau hyn:
1. Roeddwn i yng Nghaerdydd bum mlynedd yn ôl.
2. Mae e'n byw yma ers naw mlynedd.
3. Ydych chi'n gwybod ei bod hi'n saith mlwydd oed?
4. Daeth hi yma ugain mlynedd yn ôl.
5. Mae'r gwin yma tua chwe blwydd oed.
6. Roedd e'n credu bod ei wraig yn un mlwydd ar hugain oed.
7. Roedd hi'n bum mlwydd oed pan aeth hi i'r ysgol.
8. Mae e'n dysgu yn yr ysgol ers deng mlynedd ar hugain.

Rhifau Cam 4

Ysgrifennwch y rhain:
1. pump a saith wythfed
2. chwech a thri chwarter
3. tri a phedair rhan o naw
4. deg ac un rhan o saith
5. tri a chwarter
6. wyth a phum rhan o chwech
7. dau ddeg un ac wyth rhan o naw
8. saith a dau draean

Cyfieithwch y brawddegau hyn:
1. Gofynnais i am hanner peint a chefais i beint llawn.
2. Dydy e ddim wedi bwyta traean o'r bwyd.
3. Rydyn ni'n mynd i wneud elw ar hanner y cwsmeriaid.
4. Dydy wythfed ran o'r botel ddim wedi ei hyfed.
5. Byddwn ni'n gwneud elw o wythfed ran, os ydyn ni'n lwcus.
6. Mae hi'n dweud bod chweched ran o'r byrddau'n wag.
7. Mae dau draean o'r cig moch ar ôl./Mae dau draean o'r cig moch yn weddill.
8. Tri chwarter pwys o flawd, os gwelwch yn dda.

Rhifau Cam 5

Ysgrifennwch y trefnolion rhwng [ ] mewn geiriau gan wneud unrhyw newid arall sy'n angenrheidiol:
1. Fe ganwn yr ail emyn yn y llyfr.
2. Fe ddarllenwn o ail lythyr Paul at y Corinthiaid.
3. Dyma'r seithfed adnod o'r bedwaredd bennod.
4. Ydych chi wedi darllen llythyr cyntaf Paul at y Rhufeiniaid?
5. Rydw i'n hoffi'r wythfed salm.
6. Ydych chi wedi darllen y nawfed bennod o Genesis?
7. Ydy hanes geni'r Iesu yn yr wythfed bennod o Efengyl Mathew?
8. Gwrandewch ar eiriau'r proffwyd yn y bedwaredd bennod, a'r bumed adnod.

Cyfieithwch y brawddegau hyn:
1. Roedd y chweched cwestiwn yn anodd iawn.
2. Mae e wedi darllen yr ail bennod yn lle'r bedwaredd.
3. Rydyn ni'n canu'r seithfed emyn, nid y degfed.
4. Ydych chi wedi darllen wythfed bennod Genesis?
5. Rydyn ni'n astudio'r bedwaredd salm.
6. Hi oedd yr ail berson i ateb y cwestiwn yn anghywir.
7. Fi oedd y cyntaf i gyrraedd.
8. Wnewch chi droi i'r bumed bennod?

Rhifau Cam 6

Nodwch y dyddiad:
e.e. Mae Siôn yn dathlu ei ben blwydd ar y deuddegfed o Chwefror.
1. Mae Gwilym yn dathlu ei ben blwydd ar y pedwerydd ar ddeg o Ionawr.
2. Mae Nona'n dathlu ei phen blwydd ar y pedwerydd ar bymtheg o Fawrth.
3. Mae Mari'n dathlu ei phen blwydd ar y degfed ar hugain o Fai.
4. Mae Meryl yn dathlu ei phen blwydd ar y deunawfed o Fehefin.
5. Mae Shaun yn dathlu ei ben blwydd ar y trydydd ar hugain o Orffennaf.
6. Mae Gaynor yn dathlu ei phen blwydd ar yr wythfed ar hugain o Fedi.
7. Mae Lee'n dathlu ei ben blwydd ar y pymthegfed o Dachwedd.
8. Mae Gwydion yn dathlu ei ben blwydd ar yr unfed ar bymtheg o Ragfyr.

Cyfieithwch y brawddegau hyn:
1. Mae ei ddeunawfed pen blwydd e yfory.
2. Rydyn ni'n dathlu deugeinfed pen blwydd eu priodas.
3. Ydyn nhw'n gobeithio dathlu ei hunfed pen blwydd ar hugain?
4. Y pedwerydd ar hugain o Awst ydy hi heddiw.
5. Rydyn ni'n mynd yno ar y pedwerydd ar bymtheg o Fehefin.
6. Mae'r Nadolig ar y pumed ar hugain o Ragfyr eleni.
7. Pa ddydd yw'r pedwerydd ar ddeg o Fai?
8. Mae e'n ymddeol ar ôl chwarae ei hanner canfed gêm i Gymru.

Cymalau Cam 1

Cyfieithwch y brawddegau hyn:
1. Os ydy hi'n bwrw glaw, dydw i ddim yn mynd.
2. Rydw i'n credu bod y parti'n dechrau am saith o'r gloch.
3. Mae hi'n hoffi wyau ond dydy hi ddim yn hoffi cig moch.
4. Rydw i'n nabod y myfyriwr sy'n trefnu'r parti.
5. Dydyn ni ddim yn siŵr ydy Jane yn gallu mynd.
6. Rydw i'n gyrru oherwydd ei bod hi'n byw yn Abergwaun.
7. Mae Mary'n yfed am ei bod hi ddim yn gyrru.
8. Darllenwch y llyfr neu ewch i weld y ffilm.

Ailysgrifennwch brif gymal y brawddegau hyn:
1. dydw i ddim yn mynd.
2. Rydw i'n credu.
3. Mae Kay'n yfed.
4. bydd hi'n dod gyda ni.
5. Ydych chi'n gwybod?
6. Dydyn ni ddim yn siŵr.
7. Rydw i'n nabod y ferch.
8. rydw i'n gallu yfed.

Cymalau Cam 2

Newidiwch yr is-gymalau hyn i'r negyddol:
1. Rydw i'n gwybod bod y merched ddim yn gallu canu.
2. Roeddwn i'n credu bod y casét ddim yn gallu canu.
3. Rydyn ni'n credu bod y gân ddim yn ddiflas.
4. Dydw i ddim yn credu bod y band ddim yn dda.
5. Ydych chi'n credu bod y band ddim wedi canu'n dda?
6. Ydych chi'n gwybod bod y band ddim wedi canu ar y teledu neithiwr?
7. Rydyn ni'n credu bod y ferch ddim wedi perfformio'n dda.
8. Mae Huw'n gobeithio bod y merched ddim yn mynd i'r parti.

Cywirwch y brawddegau hyn:
1. Ydych chi wedi clywed bod y disgo'n dechrau am ddeg?
2. Maen nhw'n gwybod bod y record yn boblogaidd iawn.
3. Rydw i'n credu bod llais y ferch yn hyfryd.
4. Mae'r gitarydd yn poeni bod y neuadd yn llawn.
5. Ydych chi'n credu ei bod hi'n gallu canu?
6. Rydw i wedi clywed bod dim band byw yno heno.
7. Maen nhw'n credu bod y band ddim yn gallu chwarae'n dda iawn.
8. Roedd hi'n siŵr fod y disgo ddim yn dechrau am wyth.

Cymalau Cam 3

Rhowch ragenw yn lle enw yn y brawddegau hyn:

e.e. Rydw i'n credu bod Sharon Rock yn actio'n wael.

Rydw i'n credu ei bod hi'n actio'n wael.

1. Roeddwn i'n gwybod ei fod e'n actio yn y ffilm.
2. Wyt ti'n gwybod ei bod hi ar y teledu heno?
3. Rydw i'n siŵr ei fod e'n actio yn y ddrama.
4. Doedden ni ddim yn credu ei fod e'n edrych yn realistig.
5. Dydw i ddim yn credu eu bod nhw'n gallu actio.
6. Ydych chi'n gwybod eu bod nhw'n gwneud ffilm arall?
7. Rydw i'n credu eu bod nhw'n ddiflas.
8. Ydych chi'n gwybod ei bod hi'n gorffen yn drist?

Cyfieithwch y brawddegau hyn:

1. Rydw i'n siŵr bod pum actor yn y ddrama.
2. Ydych chi wedi clywed ei bod hi ddim yn actio yn y ffilm?
3. Rydyn ni'n gobeithio ei bod hi'n actio heno.
4. Mae hi'n gwybod ei bod hi ddim yn gallu actio'n dda.
5. Roeddwn i'n gwybod bod y ffilm yn gyffrous.
6. Ydych chi wedi clywed ei bod hi yn y sinema'r wythnos hon?/Ydych chi wedi clywed ei fod e yn y sinema'r wythnos hon?
7. Rydyn ni'n credu eu bod nhw'n ffilmio yn Eryri.
8. Roedden nhw'n credu eu bod nhw wedi ei gweld hi o'r blaen./Roedden nhw'n credu eu bod nhw wedi ei weld e o'r blaen.

Unwch y brawddegau hyn â 'bod':

e.e. Rydw i'n gwybod. Mae'r bws yn hwyr.

Rydw i'n gwybod bod y bws yn hwyr.

1. Rydw i'n gwybod bod Huw'n dost.
2. Rydw i'n credu ei bod hi'n dost.
3. Mae e'n credu ei fod e wedi cael annwyd.
4. Rydyn ni'n siŵr ein bod ni wedi gweld y meddyg.
5. Maen nhw'n gwybod bod y meddyg wedi galw.
6. Mae hi'n credu ei bod hi'n mynd i'r parti heno.
7. Ydych chi'n gwybod ei bod hi'n dod adre yfory.
8. Ydych chi wedi clywed ei fod e wedi bod yn dost.

Cymalau Cam 4

Cyfieithwch y brawddegau hyn:

1. Dydw i ddim yn nabod y dyn sy wedi ennill y loteri.
2. Ydych chi'n nabod y bobl sy wedi colli popeth?
3. Roeddwn i wedi darllen am y fenyw sy wedi dod allan o'r carchar.
4. Mae Frank, sy'n frawd i Jim, yn y carchar yn awr.
5. Dydyn nhw ddim yn gwybod beth sy'n iawn a beth sy'n anghywir.
6. Mae'r ysgrifenyddes, sy'n awr yn yr ysbyty, yn gwella.
7. Mae hi'n nabod y ferch oedd ar y teledu.
8. Dydyn ni ddim wedi clywed am y myfyrwyr oedd yn y parti.

Cywirwch y brawddegau hyn:

1. Rydw i'n nabod y dyn sy'n nyrs yn yr ysbyty.
2. Ydych chi'n gwybod am y ferch sy'n gweithio yn y llys.
3. Roedd hi'n gyrru'r car oedd yn y ddamwain.
4. Mae hi wedi clywed am y dynion nad oedden nhw ar streic./Mae hi wedi clywed am y dynion nad oeddynt ar streic
5. Roedden nhw'n sefyll wrth y fenyw oedd newydd ddod o'r siop.

6. Rydw i'n gweithio gyda'r bobl oedd wedi bod yn y carchar.
7. Ydych chi wedi clywed am yr athrawes fydd yn ein dysgu ni?
8. Roeddwn i'n helpu'r myfyrwyr fydd yn mynd i'r coleg y flwyddyn nesaf.

Cymalau Cam 5

Cyfieithwch y brawddegau hyn:
1. Rydw i'n hoffi'r stori achos/oherwydd bod y cymeriadau'n realistig.
2. Dydw i ddim yn hoffi'r ffilm achos bod y stori ddim yn gyffrous.
3. Roedden ni'n cysgu cyn i'r ddrama orffen.
4. Gadawon nhw ar ôl yr act gyntaf am fod yr actio'n wael./Gadawon nhw ar ôl yr act gyntaf achos bod yr actio'n wael.
5. Er ei bod hi'n anhygoel/anghredadwy, mae'r nofel yn dda.
6. Dydyn nhw ddim wedi ei ddarllen e, er eu bod nhw'n ei astudio.
7. Roedd y diwedd yn annisgwyl, er bod y cefndir yn ddiflas.
8. Doeddwn i ddim yn hoffi'r ffilm am/achos ei bod hi'n ddi-liw.

Cywirwch y brawddegau hyn:
1. Mae hi'n hoffi'r stori er ei bod hi ddim yn gyffrous iawn.
2. Roeddwn i'n darllen y nofel oherwydd fy mod i wedi gweld y ffilm.
3. Dydw i ddim yn hoff iawn o'r diwedd, er ei fod e'n gyffrous.
4. Roedden ni'n cysgu erbyn bod y ffilm yn gorffen.
5. Roeddwn i'n hoffi'r llyfr, er dydw i ddim yn hoffi'r ffilm.
6. Roedd hi'n aros nes bod pawb wedi mynd.
7. Rydw i wedi darllen y stori, oherwydd bod y cymeriadau'n lliwgar.
8. Dydyn ni ddim yn hoffi'r cefndir am ei fod e'n anghredadwy.

Cymalau Cam 6

Cyfieithwch y brawddegau hyn:
1. Roedd hi'n rhy hwyr ar ôl i'r lorri ein taro ni.
2. Beth oeddech chi'n ei wneud cyn i'r car adael yr heol?
3. Pam (na) throioch chi ddim wrth iddo ddod tuag aton ni?
4. Croesodd hi'r heol heb weld y car.
5. Aethon nhw â hi at y meddyg er mwyn iddi hi allu cael triniaeth.
6. Aethon ni i'r ysbyty rhag ofn bod rhywbeth wedi torri.
7. Ffoniodd Huw adre am ei fod e'n mynd i fod yn hwyr.
8. Efallai i chi glywed am y ddamwain./Efallai eich bod chi wedi clywed am y ddamwain.

Unwch y brawddegau hyn:
1. Roedd hi'n bwrw glaw erbyn i ni gyrraedd.
2. Roedd hi'n hanner awr wedi wyth cyn i'r ambiwlans gyrraedd.
3. Rydw i'n rhoi rhwymyn am ei goes rhag ofn ei bod hi'n gwaedu.
4. Aethon ni â Jane at y meddyg er mwyn iddo edrych ar y clwyf.
5. Fe yrrodd y lorri aton ni heb i'r gyrrwr ein gweld ni.
6. Roedd hi'n dechrau tywyllu cyn i'r meddyg gyrraedd.
7. Erbyn i ni yrru yno roedd hi'n rhy hwyr.
8. Gwelais ei bod hi wedi ei hanafu'n gas ar ôl i'r car ei tharo hi.

Cymalau Cam 7

Llanwch y bylchau yn y brawddegau hyn:
1. Rydyn ni wedi clywed y bydd y gwaith yn agor y flwyddyn nesaf.
2. Mae'r cwmni wedi dweud y byddan nhw'n cau'r gwaith.
3. Ydych chi wedi clywed y bydd y ffatri'n cau?
4. Rydyn ni'n ofni y bydd llawer o bobl heb waith.
5. Rydyn ni'n gobeithio y byddwn ni'n denu'r ffatri i Gymru.

6. Mae perygl y bydd diweithdra'n cynyddu.
7. Mae e'n siŵr y bydd y cwmni'n buddsoddi arian mawr yn y gwaith.
8. Mae'r llywodraeth yn gobeithio y daw'r gwaith i Gymru.

Cysylltwch y brawddegau hyn â 'na':
1. Rydw i'n credu na ddaw'r ffatri i Lanidloes.
2. Rydyn ni'n gobeithio na fydd diweithdra'n codi.
3. Roedden ni'n credu na fyddai llawer o bobl yn ddi-waith.
4. Ydych chi wedi clywed na chaiff Amlwch y gwaith?
5. Rydyn ni'n ofni na fyddwn ni'n cael gwaith.
6. Roedden ni wedi ofni na fydden ni'n dod yn ôl i Gymru.

Cyfieithwch y brawddegau hyn:
1. Rydyn ni wedi clywed fydd y cwmni ddim yn dod i Gymru./Rydyn ni wedi clywed na fydd y cwmni'n dod i Gymru.
2. Addawodd e y byddai'n gwneud popeth i ddenu'r ffatri.
3. Ydych chi'n siŵr y byddwch chi'n cael y grantiau?
4. Roeddwn i'n gwybod fydden nhw ddim yn codi pris petrol./Roeddwn i'n gwybod na fydden nhw'n codi pris petrol.
5. Roedd y cwmni'n gobeithio fyddai trethi ddim yn codi eto./Roedd y cwmni'n gobeithio na fyddai trethi'n codi eto.
6. Roedden nhw'n gobeithio fyddai ddim rhaid iddyn nhw symud o'r ardal./Roedden nhw'n gobeithio na fyddai rhaid iddyn nhw symud o'r ardal.
7. Mae perygl bob amser y bydd diweithdra'n codi.
8. Roedd hi'n gobeithio fyddai'r dref ddim yn dioddef./Roedd hi'n gobeithio na fyddai'r dref yn dioddef.

Cymalau Cam 8

Cwblhewch y brawddegau hyn, gan ddefnyddio 'i' + enw + berfenw:
1. Rydw i'n credu i'r Blaid Binc ennill.
2. Ydych chi wedi clywed iddo fe golli'r etholiad?
3. Maen nhw'n dweud iddi hi ennill yn hawdd.
4. Roeddwn i'n siŵr i'r Blaid Wen golli.
5. Rydyn ni wedi clywed iddyn nhw ennill yr etholiad.
6. Rydw i'n gobeithio i chi lwyddo yn yr etholiad.
7. Mae'r papur yn dweud iddo fe ddod yn ail.
8. Rydyn ni'n credu i'r Prif Weinidog golli ei sedd.

Newidiwch y brawddegau hyn i araith anuniongyrchol:
e.e. Mae e'n dweud, "Rydyn ni wedi ennill."
Mae e'n dweud iddynt ennill.
1. Roedd e wedi dweud i'r Blaid Wen ennill deg sedd.
2. Dywedodd y Prif Weinidog iddyn nhw ennill yr etholiad yn hawdd.
3. Roedd hi'n datgan na chollon nhw un sedd.
4. Roedd hi'n honni i'r pleidiau eraill golli mwy na nhw.
5. Roedd arweinydd y Blaid Wen yn dweud na chollodd ei sedd.
6. Dywedodd Mr Alun Morris iddo gadw ei sedd yn hawdd.
7. Dywedodd yr arweinydd na newidion nhw eu polisïau o gwbl.
8. Meddai'r Prif Ysgrifennydd na ddaeth y problemau i ben.

Cymalau Cam 9

Gorffennwch y brawddegau hyn:
1. Ydych chi'n siŵr mai Huw welsoch chi?
2. Rydw i'n credu mai Huw welais i neithiwr.
3. Oeddech chi'n credu mai Siân oedd yn sefyll wrth y tŷ?

4. Rydw i'n gwybod mai hi oedd yno.
5. Ydych chi'n dweud mai gorila oedd yn gyrru'r car?
6. Wel, rydw i'n credu mai hi welais i.

Newidiwch yr is-gymal i'r negyddol:
1. Rydw i'n credu nad Huw welais i.
2. Mae hi'n siŵr nad Siân oedd yno.
3. Ydych chi'n gwybod nad John fuodd yno?
4. Rydw i bron yn siŵr nad Jeremy ddaeth adre gyntaf.
5. Ydych chi'n credu nad hi oedd y ferch?
6. Rydw i'n gwybod nad hi yw'r un.

Cyfieithwch y brawddegau hyn:
1. Ydych chi wedi clywed ai Siân oedd yn y llys?
2. Doedden ni ddim yn gwybod a oedd hi'n euog ai peidio./Doedden ni ddim yn gwybod oedd hi'n euog neu beidio.
3. Rydw i'n siŵr mai merch oedd yn sefyll wrth y tŷ.
4. Sut gallwch chi fod yn siŵr mai car wel(s)och chi?
5. Dydw i ddim yn credu mai Sean oedd yr arweinydd.
6. Rydw i'n siŵr nad fe ydy'r dyn welais i ddoe.
7. Dydyn ni ddim yn gwybod sut daethon nhw i'r llys.
8. Ydych chi'n gallu cofio a gawsoch chi rywbeth i'w yfed?
9. Dydw i ddim yn cofio a oedd hi'n bwrw glaw ai peidio./Dydw i ddim yn cofio oedd hi'n bwrw glaw neu beidio.
10. Ydych chi'n gwybod sawl blwyddyn gafodd e?

Cymalau Cam 10

Cyfieithwch y brawddegau hyn:
1. Mae e'n gweithio i'r cwmni (a) enillodd y cytundeb.
2. Ydych chi wedi gweld y ferch (a) ofynnodd am fap?
3. Yn y stryd hon mae tŷ bach/bychan (a) adeiladwyd gan ffermwr.
4. Ydych chi'n nabod yr awdur (a) ysgrifennodd y llyfr?
5. Rydw i'n cofio'r parti orffennodd ddim tan ganol nos./Rydw i'n cofio'r parti nad orffennodd tan ganol nos.
6. Arhosais i yn y gwesty oedd ddim wedi ei orffen./Arhosais i yn y gwesty nad oedd wedi ei orffen.
7. Wnaethoch chi ymweld â'r eglwys (a) adeiladon nhw'r llynedd?
8. Roedden nhw'n gweithio yn y ffatri (a) gaeodd yr wythnos hon.

Cysylltwch y brawddegau hyn ag un o'r ddau air isod:
a, na
1. Dyma'r tŷ a gafodd ei adeiladu gan y bobl eu hunain.
2. Ydych chi wedi gweld y castell a gafodd ei ddistrywio gan Owain Glyndŵr.
3. Rydw i'n hoffi'r theatr a gafodd ei chodi yn y ganrif ddiwethaf.
4. Rydyn ni'n byw yn y stryd na chafodd ei hadnewyddu gan y cyngor.
5. Ydych chi'n hoffi'r papur wal na phrynon ni (mohono).
6. Mae hi wedi ymweld â'r ddinas a gafodd ei chwalu yn y rhyfel.
7. Welsoch chi'r pentref nad enillodd mo'r wobr am harddwch./Welsoch chi'r pentref nad enillodd y wobr am harddwch.
8. Roedd Janet yn hoffi'r bachgen na fuodd yn y coleg.

Cymalau Cam 11

Cyfieithwch y brawddegau hyn:
1. Menyw yw'r bòs. – Ie.
2. Fan hyn maen nhw'n byw. – Ie.

3. Maen nhw'n byw fan hyn. – Ydyn.
4. Heno rydyn ni'n cyrraedd. – Nage.
5. Rydyn ni'n cyrraedd heno. – Ydyn.
6. Mae'r caffe yma'n oer iawn. – Ydy, mae e.
7. Fydd hi ddim yn dod 'nôl. – Na fydd, fydd hi ddim.
8. Roedd hi'n cwyno. – Oedd.

Cyfieithwch y brawddegau hyn:
1. Mae'r bwyd yma wedi (cael) ei aildwymo. Nac yw/ydy, dyw/dydy e ddim.
2. Dydy'r pwll nofio yma ddim yn fawr iawn. Ydy, mae e.
3. Heno rydyn ni am gael bwyd. Nage – yfory.
4. Dyma'r bil – talu â cherdyn ydych chi? Ie, diolch.
5. Cleren sy yn fy nghawl. Nage, dim ond malwen ydy hi.
6. Llosgon nhw fy nghig i. Do fe?
7. Roion nhw ddim saws ar y bwrdd. Naddo fe?
8. Mae dewis da ar y fwydlen heno. Dyna syndod!

Cymalau Cam 12

Cyfieithwch y brawddegau hyn:
1. Ydych chi wedi gweld y tŷ (y) byddwn ni'n ei rentu?
2. Ble mae'r llyfr roeddwn i'n ei ddarllen?
3. Dydw i ddim yn gallu dod o hyd i'r geiriadur roeddech chi wedi ei brynu./Dydw i ddim yn gallu ffeindio'r geiriadur roeddech chi wedi ei brynu.
4. Porc ydy'r unig gig dydw i ddim yn ei hoffi./Porc ydy'r unig gig nad ydw i'n ei hoffi.
5. Dyma'r llyfrgell dydy e ddim wedi ei gweld eto./Dyma'r llyfrgell nad ydy e wedi ei gweld eto.
6. Gorffennodd hi'r traethawd doedd hi ddim wedi ei orffen ddoe./Gorffennodd hi'r traethawd nad oedd hi wedi ei orffen ddoe.
7. Dyma'r adran mae e'n ei chasáu.
8. Rydyn ni'n hoffi'r ffrindiau roedd hi wedi eu gweld.

Cysylltwch y brawddegau hyn:
1. Fe ydy'r darlithydd roeddwn i'n ei gasáu.
2. Ydych chi wedi gweld y llyfr roeddwn i wedi ei fenthyg.
3. Mae hi'n mynd i'r fflat y bydd hi'n ei rentu y flwyddyn nesaf.
4. Maen nhw wedi gorffen y traethawd dydw i ddim wedi ei wneud./Maen nhw wedi gorffen y traethawd nad ydw i wedi ei wneud.
5. Fuoch chi yn y coleg y bues i'n astudio ynddo.
6. Mae hi'n hoffi'r bar y mae'r myfyrwyr i gyd yn mynd iddo.
7. Dyma f'ystafell wely rydw i wedi ei glanhau.
8. Hwn yw'r llyfr y byddwn ni'n ei ddarllen eleni.

Cymalau Cam 13

Cyfieithwch y brawddegau hyn:
1. Ydych chi wedi cwrdd â'r dyn y mae ei wraig yn gweithio yn Llandudno?
2. Rydyn ni'n nabod y ferch y mae e'n ysgrifennu ati.
3. Ble gweloch chi'r plant roedd eu rhieni ar y traeth?/Ble gwelsoch chi'r plant yr oedd eu rhieni ar y traeth?
4. Dyma'r bobl y siaradon ni amdanyn nhw.
5. Fe ydy'r dyn doeddech chi ddim yn gas wrtho fe./Fe ydy'r dyn nad oeddech chi'n gas wrtho.
6. Ydych chi'n cofio'r fenyw y rhedodd ei gŵr i ffwrdd?
7. Dyma fy ffrind yr anfonoch chi anrheg ato fe.
8. Pwy yw'r perthynas yr anghofioch chi ei ben blwydd?

Cywirwch y brawddegau hyn:
1. Fe yw'r dyn (a) wel(s)on ni yn y dref.
2. Ydych chi'n nabod y fenyw (a) oedd yn gyrru'r car?
3. Pwy yw'r plant yr anfonon ni anrheg atyn nhw?
4. Dyma fy ffrind a ddaeth adref gyda fi.
5. Rydyn ni'n mynd i ymweld â menyw yr oedd ei gŵr hi'n dost.
6. Edrychwch ar y traeth a oedd yn llawn o bobl yn y prynhawn.
7. Rydw i wedi darllen y llyfr y siaradoch chi amdano fe.
8. Wel(s)och chi'r plentyn yr oedd hi'n gas wrtho?

Cymalau Cam 14

Cyfieithwch y brawddegau hyn:
1. Erbyn iddo gyrraedd, bydd terfysg.
2. Dylen ni fynd tra bod lle yn y bws.
3. Bydd hi'n siomedig os dydw i ddim yn aros gartref heno./Bydd hi'n siomedig os nad arhosaf i gartref heno.
4. Gadawon nhw cyn i bethau ddechrau mynd o le.
5. Allwch chi ddal y poster yma nes y bydd y brotest yn gorffen?
6. Bydd Siân yn barod i gymryd rhan pryd bynnag y mae yna brotest.
7. Mae e'n aros yma nes y bydd hi'n tywyllu.
8. Aethon nhw adref pan gyrhaeddodd y trên.

Cyfieithwch y brawddegau hyn:
1. Mae Cymru'n wlad ddymunol, fryniog ac mae'n denu twristiaid o bob rhan o'r byd.
2. Mae'r hinsawdd yng Nghymru yn tueddu i fod yn wlyb ond mae'r wlad yn elwa o'r glaw.
3. Gan fod rhannau Cymraeg Cymru yn ardaloedd mwyaf prydferth y wlad, mae rhaid cymryd camau i ddiogelu'r iaith yn yr ardaloedd hyn.
4. Er gwaetha'r arian sy'n cael ei wario ar hysbysebu, dydy'r nifer o dwristiaid sy'n dod i Gymru ddim yn cynyddu.
5. Dywedodd cadeirydd Bwrdd Croeso Cymru y byddai'n pwysleisio Cymreictod Cymru yn yr ymgyrch hysbysebu nesaf.
6. Pryd bynnag rydych chi'n meddwl am gael gwyliau tramor, meddyliwch am y nifer fawr o leoedd prydferth yng Nghymru dydych chi ddim wedi eu gweld.
7. Er bod y cestyll yng Nghymru wedi (cael) eu hadeiladu'n bennaf gan ymosodwyr estron, maen nhw'n awr yn rhan o olygfeydd Cymru.
8. Pe bai gwestai yng Nghymru'n gallu darparu gwasanaeth rhatach, byddai llawer mwy o bobl yn ymweld â'r wlad.
9. Oherwydd nad oes llawer o reilffyrdd yng Nghymru, mae'r heolydd yn tagu/orlawn yn yr haf.
10. Yn anffodus, mae'r wlad yn denu carafannau y mae eu perchenogion wedi prynu eu bwyd a'u petrol yn Lloegr.
11. Mae crefftau Cymreig yn cael eu cynhyrchu'n bennaf gan estroniaid sydd wedi cwympo mewn cariad â'r syniad o ffordd henffasiwn o fyw.
12. Wrth ymweld ag ardal yn eu cannoedd, mae twristiaid yn difetha prydferthwch y mannau y maen nhw'n ymweld â nhw.

Cywirwch y brawddegau hyn:
1. Fe fydden nhw'n mynd adre pe bai hi'n bwrw glaw.
2. Eisteddon nhw ar y stryd pan ddechreuodd yr heddlu gyrraedd.
3. Mae hi'n bwriadu mynd os bydd ei chariad yno.
4. Pan aeth e i'r dre, roedd y brotest wedi dod i ben.
5. Dylech chi fynd i'r coleg tra cewch chi gyfle.
6. Rydw i eisiau dysgu gyrru cyn y bydd hi'n rhy hwyr.
7. Fe gawn ni barti os oes bwyd ar ôl.
8. Pe awn i heno, fyddwn i ddim yn gallu mynd yfory.

Cymalau Cam 15

Newidiwch y brawddegau gan bwysleisio'r goddrych:
1. Fi gymerodd yr arian.
2. Ti gafodd y cyfan.
3. Hi wastraffodd y bwyd.
4. Y plant ddaeth adre.
5. Y dynion yrrodd yn gyflym.
6. Fe sy yma.
7. Lladron oedd wedi dwyn yr offer.
8. Y merched aeth i swyddfa'r heddlu.

Pwysleisiwch y goddrych yn y brawddegau hyn a'u troi'n negyddol:
1. Nid fi sy'n cyhuddo'r plant.
2. Nid y bechgyn sy wedi ennill.
3. Nid y merched fuodd yn ffodus.
4. Nid y myfyrwyr aeth i sgio.
5. Nid dau fachgen oedd wedi dwyn yr arian.
6. Nid yr arian oedd ar y bwrdd.
7. Nid y disgyblion redodd o'r siop.
8. Nid yr heddlu sy wedi dal y lladron.

Cymalau Cam 16

Pwysleisiwch yr elfen amser yn y brawddegau hyn:
1. Ddoe collon nhw'r gêm.
2. Ym mis Ionawr roedden nhw ar ben y tabl.
3. Y llynedd enillon nhw'r cwpan.
4. Y flwyddyn nesaf byddan nhw'n cystadlu.
5. Y bore 'ma roedd y gystadleuaeth.
6. Yn y funud gyntaf sgoriodd e.
7. Heno mae'r gêm ar y teledu.
8. Ym mis Rhagfyr aethon ni i weld y gêm.

Pwysleisiwch y gwrthrych yn y brawddegau hyn:
1. Dau gais sgoriodd Abertawe.
2. Dwy gêm welais i y llynedd.
3. Un gêm chwaraeon nhw yn ein herbyn ni.
4. Dau docyn brynodd hi i weld y gêm.
5. Caernarfon welodd e yn chwarae yn y gwyliau.
6. Milltir redodd hi yn gyflym iawn, ond arafu wedyn.
7. Y tîm lleol roeddwn i'n ei gefnogi.
8. Y bachgen fydda i'n ei dalu nos yfory.

Cymalau Cam 17

Cyfieithwch y brawddegau hyn:
1. Byddwn i'n barod nawr pe bait ti wedi paratoi pryd.
2. Byddet ti wedi priodi, pe byddet ti wedi cael baban/babi.
3. Pe bawn i'n dweud na, fyddet ti'n aros i fi?
4. Byddai hi wedi bod yn ddoethach, pe bai hi wedi byw gydag e.
5. Pe baen ni'n priodi, ble bydden ni'n prynu tŷ?
6. Pe baen ni'n priodi, bydden nhw'n dathlu.
7. Pe bai e'n ei charu hi, fyddai hi ddim yn dweud na.
8. Pe bai e ddim yn gyfoethog, fyddwn i ddim yn ei briodi e.

Cyfieithwch y brawddegau hyn:

1. Byddwn i'n prynu geiriadur newydd pe bawn i'n colli'r un yma.
2. Oni bai am y darlithydd, byddai hi wedi methu'r arholiadau.
3. Fyddech chi'n gweithio mewn bar, pe baech chi'n cael cynnig y swydd?
4. Ddoe roedd y gêm ar y teledu, nid heddiw.
5. Pum punt gollon nhw, nid pum deg./Pum punt gollon nhw nid hanner cant.
6. Aled gariwyd i lawr y mynydd.
7. Y ffilm roeddwn i'n ei hoffi, nid y nofel.
8. Pe bai hi'n heulog, bydden ni'n mynd i'r traeth.

3.   Would you work in a bar, if you were offered the job?
4.   It was yesterday the game was on television, not today.
5.   It was five pounds they lost, not fifty.
6.   It was Aled who was carried down the mountain.
7.   It was the film that I liked, not the novel.
8.   If it were sunny, we'd go to the beach.

A T E B I O N... trowch i gefn y llyfr!